Yomu Mishima
미시마 요무

illustration
토모조

5

"너, 지금까지 대체 몇 명의
동업자를 죽여왔지?"

세 븐 스
7th

（荒ぶる雀の構え）

"이름하여 사나운 참새의 자세입니다!"

뿌용뿌용이 천천히 양손을 들더니, 다음으로 한발을 들었다.

뿌용뿌용

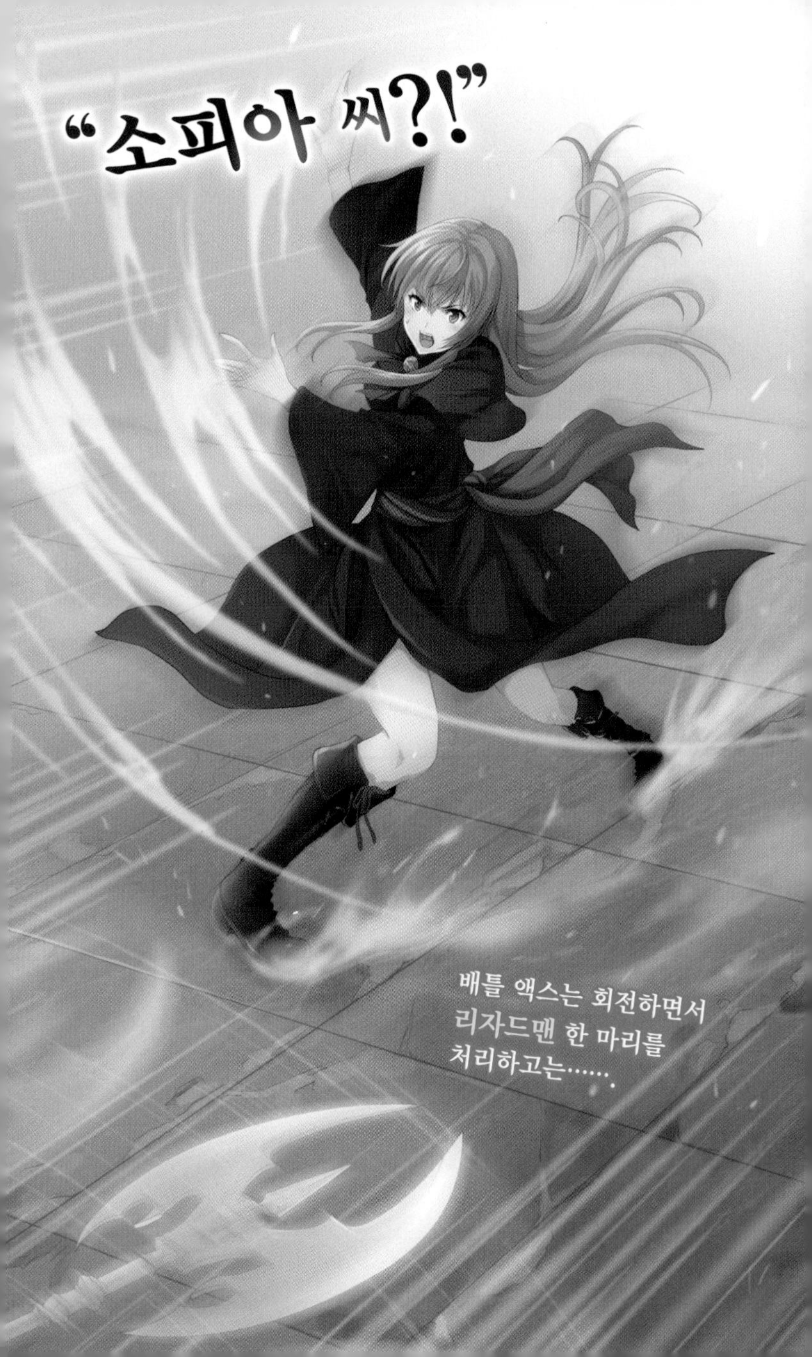
"소피아 씨?!"
배틀 액스는 회전하면서
리자드맨 한 마리를
처리하고는…….

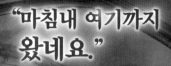

"마침내 여기까지
왔네요."

지금까지 짐차를 개조하면서
시행착오를 반복하는 나날을 보내왔지만,
모든 건 오늘 이날을 위해서였다.

"이걸로
이『포터』는 완성됐어요."

포터의 뒤 칸.
노윔, 아리아, 소피아, 미란다.
네 사람은 마주 보는 벤치에서 말없이 앉아있었다.
싫어도 얼굴을 봐야 하는 상황에서, 네 사람은 침묵하고 있었다.
노윔이 화제를 던졌다.

"모처럼 네 사람이 얼굴을
마주하고 있으니,
이야기라도 할까요?"

아츠에 너무 의존하고 있다는 걸 염려한 역대 당주들이

라이엘을 위해 과제를 내놓았다.

그것은, 아츠와 은색 대검의 사용을 금지한 상태에서―

「아람사스 지하 미궁, 그 30층을 공략하는 것」―이었다.

갑자기 아츠 사용을 그만두게 된 라이엘에게 불신감을 쌓아가는 아리아와 소피아.

그리고 두 사람을 도발하는 미란다. 조용히 지켜보는 노웸에게 시비를 거는 뽀용뽀용.

파티 내부에 문제를 품고 있어서는 공략도 만족스럽게 진행될 리가 없기에,

라이엘은 아람사스에서 실패를 반복하는 나날을 보내고 있었다.

똑같은 하렘 파티를 만든 모험가에게 인간관계를 상담해봐도

잘 풀리지 않아서 고민하는 라이엘.

마치 일부러 인간관계를 망가트리고 있는 듯한 미란다.

미란다의 질책을 듣는 아리아와 소피아.

능력을 제대로 살리지 못하는 샤논의 미숙함.

동료가 되어줄 것 같지 않은 클라라라는 우수한 서포트.

과제의 진의를 가르쳐주려 하지 않는 역대 당주들.

다양한 문제 앞에서 라이엘은 골머리를 썩이고 있었다.

그런 라이엘이 미궁 공략을 위해 찾아낸 것은―

새로운 동료였다.

세 븐 스

7th

5

미시마 요무 지음

토모조 일러스트

이경인 옮김

illustration 토모조

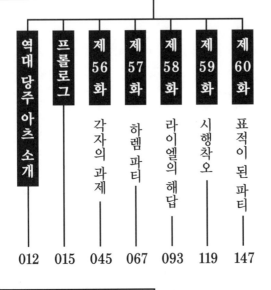

CONTENTS

초대

버질 월트

1단계 풀 오버

육체 강화. 자신의 신체능력을
1할에서 2할 향상시킨다.

2단계 리미트 버스트

한계를 넘어선 힘을 끌어내지만,
몸에 걸리는 부담은 무시.

3단계 풀 버스트

몸에서 푸른 불꽃을 뿜어내며
신체능력을 배로 끌어올린다.

2대

크라셀 월트

1단계 올

타인에게 아츠를 사용하게 해줄 수 있다.
자신을 중심으로 한 구형의 범위를
오감과는 별도로 인식하게 해주는
부차적인 효과가 메인.

2단계 필드

집단에게 아츠를 동시에 사용하게 해줄 수 있다.
올보다 범위가 더욱 넓어진다.

3단계 ???

3대

슬레이 월트

1단계 마인드

환각을 보여주는 등,
상대의 정신에 간섭하는 아츠.

2단계 ???

3단계 ???

4대

마크스 월트

1단계 스피드

이동 속도를 안정적으로 향상시킨다.

2단계 ???

3단계 ???

역대 당주 아츠 소개

5대

프레더릭스 윌트

1단계 맵

주변의 지도를 머릿속에서
선명하게 볼 수 있다.

2단계 ???

3단계 ???

6대

파인즈 윌트

1단계 서치

주변의 피아를 판별.
트랩 등등의 위치도 확인할 수 있다.

2단계 ???

3단계 ???

7대

브로드 윌트

1단계 박스

생물을 제외한 것들을 수납할 수 있는
공간계 아츠.

2단계 ???

3단계 ???

라이엘 윌트

라이엘 윌트

1단계 익스피리언스

더욱 많은 경험을 손에 넣는다.
성장이 빨라진다. 주변에도 효과가 미친다.

2단계 ???

3단계 ???

프롤로그

뜬금없는 말이지만, 나는 여동생이라는 존재가 싫다.

나【라이엘 월트】가 친가에서 쫓겨난 원인을 만든 것이 친여동생인 세레스라는 것도 물론 관계가 있다.

지금 나는 전혀 상관없는 곳에 있고, 또 이런 생각을 할 겨를도 없지만, 현실도피를 하지 않을 수 없었다.

여기는 학술도시 아람사스의 지하 미궁.

그리고 지금은, 막 전투가 끝난 참이다.

땀과 먼지로 더러워져서 끈적끈적한 뺨을 손등으로 닦았다.

장갑의 가죽 냄새가 코를 찔렀다.

"……정말로 어떻게 해야 하지?"

눈앞에서 곱슬한 붉은 머리털의 끄트머리가 그을린【아리아 록워드】와 흑발 롱헤어의【소피아 라우리】가 말다툼을 벌이고 있다.

아리아 씨는 움직이기 쉬운 복장이었는데, 이쪽도 머리털과 마찬가지로 조금 그을렸다.

옷이나 금속 방어구도 몸매가 드러나는 것을 착용했다.

창을 들고 움직이기 때문에 무거운 장비는 방해가 되기 때문이다.

반면 소피아 씨는 무거운 장비 위에 로브까지 걸쳤다.

아리아 씨와는 대조적인 중장비 전사인 소피아 씨는 일부 잘려버린 자신의 머리털을 보며 울상을 짓고 있었다.

아리아 씨는 그을린 장비를 소피아 씨에게 보여주며 따졌다.

"잠깐만. 왜 거기서 못 피한 거야! 덕분에 내가 불덩이가 될 뻔했잖아!"

소피아 씨가 반박했다.

"아리아가 창을 휘둘러서 그렇죠! 그쪽에 정신이 팔려서…… 저는 하마터면 큰 부상을 입을 뻔했어요!"

다툼이 일어나자, 옅은 갈색의 긴 머리를 사이드 포니테일로 묶은 내 옛 약혼자 소녀가 두 사람을 타이른다.

마법사다운 차림을 했고, 손에는 은빛 지팡이를 들었다.

이름은 【노웸 폭스즈】. 외모 그대로 마법사다.

"두 사람 다 진정하세요. 아무튼 침착하게 이야기해보죠. 네?"

두 사람의 싸움은 전투 중에 일어난 사고가 원인이었다.

전위로서 앞으로 나간 두 사람 뒤에서 마법을 쐈다.

그 사선(射線)에 소피아 씨가 끼어들고 말았다.

소피아 씨는 자신이 든 배틀 액스로 마법을 후려쳤고, 방향을 바꾼 마법— 화염구는 아리아 씨 근처에서 터졌다.

이런 일이 있을 수도 있나 하고 깜짝 놀랐다.

아무튼, 놀라워하면서도 마물을 쓰러뜨리고 한숨 돌린 차에 두 사람이 싸우기 시작한 것이다.

마물에게서 마석이나 소재를 채집한 것은 파티의 서포트로 고용한 모험가.

푸른 머리에 붉은 눈동자가 특징적인, 안경을 쓴 조그만 체구의 소녀【클라라 블루머】다.

그녀의 왼팔이 눈길을 끈다. 위팔 앞쪽은 갑옷의 장갑 같은 의수로 되어있다.

클라라 씨는 어이없어하며 중얼거렸다.

"모두에게 문제가 있는 것처럼 보이는데요."

그런 클라라 씨에게, 녹색 머리와 눈동자를 가진 여성이 웃으면서 말을 걸었다.

분위기로는 언니 같은 느낌이지만, 아리아 씨와 소피아 씨가 싸우게 된 원인— 마법을 날린 것은 이 사람이다.

이름은【미란다 사크라이】.

아람사스의 학원에 다니는 자작가의 아가씨다.

옛 약혼자인 노웸과 마찬가지로, 어쩌면 나는 이 사람과 결혼했을지도 모른다는 인연을 가진 여성이다.

아람사스에서 만나서 지금은 동료로 행동하고 있다.

"무기 들고 싸우는 게 아니니까 상관없잖아. 원하는대로 하게 내버려 둬."

미란다 씨는 오히려 즐거워하면서 방치를 제안했고, 나는 자신의 푸른 머리를 손으로 누르며 고개를 내저었다.

"아니, 말리자고요."

내 시선을 보고「당신의 마법이 원인이잖아」라는 마음을 짐작했는지, 미란다 씨는 어깨를 으쓱했다.

"나는 라이엘이 지시를 내렸으니까 마법을 날렸고, 그 전에 두 사람에게 말도 했어. 문제시하는 건 유감이네. 애초에 그렇게 말한다면 지시를 내린 라이엘에게 문제가 있다는 뜻이 되거든?"

느닷없이 질책이 날아오자 나는 한발 물러서고 말았다.

확실히, 그 타이밍에서 마법을 사용한 건 잘못이 아니었을까? 그런 불안감이 들었다.

미란다 씨는 그런 내 모습을 보며 즐거워 보였다.

클라라 씨에게 시선을 돌리자, 그녀는 살짝 한숨을 내쉬며 도움을 주었다.

"타이밍만 봐서는 잘못됐다고 단언할 수 없어요. 확실히 문제는 있었지만, 미란다 씨는 두 사람에게 말을 해줬죠. 라이엘 씨만 잘못이라고 단언할 수는 없겠네요."

두둔해주는 사람이 있어서 다행이다.

그러나 아리아 씨와 소피아 씨는 클라라 씨의 의견을 듣고도 납득하지 못했다.

두 사람은 내게 항의했다.

"애초에 지금까지 마법을 쓰기 전에 말을 걸어준 적이 없잖아!"

"맞아요. 갑자기 방식을 바꾸면 대응하지 못하는 것도 당연해요!"

이번에는 통로를 나아가다 마물 집단과 마주쳐버린 조우전이다. 지금까지는, 목에 걸려있는 보옥의 아츠 덕분에 적의 위치를 사전에 알아챌 수 있었다.

그러지 못하게 된 지금 상황에서는 미리 지시를 내릴 수가 없다.

기껏해야 적과 마주쳤을 때 대처법을 전하는 것 정도다.

"그치만 마물이 갑자기 나왔잖아요. 게다가, 전위인 두 사람만 그대로 상대하게 두는 것도 미안하다 싶어서⋯⋯."

내가 변명을 하자, 아리아 씨는 들고 있던 창을 어깨에 메고는 불만스럽다는 듯이 내게서 시선을 돌렸다.

"그럼 당장 아츠를 쓰라고! 이런 거, 아무 의미도 없잖아."

불만스러운 것은 아리아 씨만이 아니었다.

소피아 씨도 아리아 씨의 의견에 찬성했다.

"아츠를 쓰지 않으시는 이유는 모르겠지만, 이곳은 아직 지하 4층이에요. 저번에는 지하 40층까지 나아갔는데, 이번에는 하루를 꼬박 들였는데도 여기까지밖에 오지 못했어요. 의미가 있는 것 같지는 않는데요."

나는 어깨를 떨궜다.

아츠를 사용하면 간단히 미궁을 공략할 수 있다.

할 수 있지만⋯⋯ 지금은 사용할 수 없다.

육체 강화, 주변 위치 확인, 정신 간섭, 이동 속도 상승, 지형 파악, 적의 위치 확인, 도구 보관⋯⋯ 그런 편리한 아츠들이 모두 봉인되어 버렸다.

정확히 말하면, 사용을 허가해주지 않았다.

사용해버리면 무시무시한 벌이 기다린다.

"아니, 저기, 이건 뭐랄까⋯⋯ 파티를 재확인해본다고나 할까, 아츠에 의존하지 않고 어디까지 할 수 있을지 조사해본다고나 할까."

내 석연치 않은 태도의 이유는 애초에 아츠를 금지해버린 이들이 있기 때문이다.

목에 걸려있는 가보인 보옥에는 월트 가 역대 당주 여섯 명의 기억이 깃들어 있다.

그들은 의지가 있고, 내게 말을 걸어온다.

때로는 아츠보다도 역대 당주의 지식에 도움을 받은 적도 많다.

그러나, 그들은 이유도 명확히 밝히지 않고 내게 아츠 사용을 금지하라며 일방적으로 선언했다.

어째서 금지했는지 이유를 모르겠다.

아마 이게 이유일지도 모르겠다는 후보는 내 머릿속에도 몇 가지 존재하지만, 어느 게 정답인지 모르기에 설명에 자신감을 가질 수 없다.

그 때문에 파티 내부 분위기가 나빠지고 있었다.

아리아 씨가 머리를 난폭하게 긁었다.

"그러니까, 그게 무의미하다는 거야. 아츠를 금지하고 나서 오늘로 미궁에 들어온 것이 세 번째야. 세 번 모두 제대로 앞으로 나가지 못하고 있잖아."

그 말이 옳다.

그뿐만 아니라—.

"말씀드리고 싶지는 않지만, 클라라 씨를 고용하는 금액도 커다란 부담이 되고 있어요. 애초에 벌지를 못하니까 적자잖아요."

원래는 좀 더 앞으로 나아가고 싶고, 그 준비를 위해서는 클라라 씨의 조력이 꼭 필요했다.

그래서 고용했는데, 생각보다 앞으로 나가지 못하고 있어서 클라라 씨를 고용해봤자 소용이 없었다.

이번 미궁에서의 수익도 적자겠지.

미궁에 들어오기 위한 준비에, 클라라 씨에게 줄 돈을 고려하면 벌어들인 금액이 너무나 부족하다.

어깨를 떨군 나를 도와준 것은 노웸이었다.

조금 전과는 다르게 두 사람에게 강한 어조로 설교하기 시작했다.

"두 분 모두 말씀이 지나치세요. 게다가 라이엘 님의 아츠에 너무 의존하고 있던 건 사실이잖아요. 무슨 일이 생겼을 때를 위해서, 이렇게 아츠를 사용할 수 없는 상황을 알아두는 건 필요해요."

노웸의 정론에 도움을 받은 기분이 드는 사이, 클라라 씨가 말을 걸어왔다.

"말씀하시는 와중에 죄송하지만…… 너무 소란을 부린 것 같네요. 마물들이 모이고 있어요."

전원이 클라라 씨의 시선 너머를 보자, 그곳에는 철컹철컹 금속이 스치는 소리를 내며 다가오는 고블린 집단이 있었다.

아직 거리가 있기에, 나는 허리춤에 찬 사브르를 뽑았다.

"노웸. 마법으로 태워버릴 준비를. 그리고—"

그런 내 지시에 화가 났는지, 아리아 씨와 소피아 씨는 마지막까지 듣지 않고 달려가 버렸다.

나는 두 사람의 등을 향해 손을 뻗었다.

"어, 잠깐만요…… 어, 어라?"

멋대로 움직이면 곤란하다. 아무리 그래도 아군이 말려들 가능성이 있는 마법은 사용할 수 없다.

미란다 씨가 내게 말을 걸면서 달려갔다.

"지원할게. 뒷일은 부탁해."

"아, 네."

대답하고 말았다. 대체 누가 파티 리더인지 모르겠네.

『뭐라고 말해야 좋을까?』

『설마 이렇게 심각할 줄은 몰랐네.』

『적자…… 적자라니. 노웸이나 다른 이들이 있는데 적자?』

『명령 무시라니 있을 수 없는 일이지만, 라이엘의 태도도 문제야.』

『라이엘. 지휘관인 자는 발언에 주의해라. 주변을 불안하게 만들면 안 돼.』

『이 단계에서 알게 되어 다행이지 않습니까.』

원탁에 둘러앉은 여섯 명의 역대 당주들.

사냥꾼 차림새인 2대를 시작으로, 순서대로 3대부터 7대까지의 발언은 모두 내게 다정하지 않았다.

특히 심했던 건, 적자를 내고 말았기에 짜증이 한껏 쌓인 4

대다.

푸른 머리를 3대 7로 가르고, 안경을 쓴 키가 큰 남성.

4대는 외견만이라면 월트 가에서 가장 성실하게 보인다.

월트 가의 역대 당주 가운데서는 내정 면에서 능력을 발휘한 문관 기질의 인물로 알려져 있다.

그러나, 실물을 보고 생각했다.

이 사람을 돈을 너무너무 좋아하는 사람이다.

『라이엘, 잘 들으세요. 준비에 돈이 드는 건 뭐라 말하지 않겠습니다. 하지만, 적어도 조금이나마 흑자를 목표로 하세요. 적자, 라니…… 이게 세 번째라니.』

적자를 낸 것이 쇼크인 모양이다.

"저기, 아츠 금지를 풀어주시면 고맙겠는데요."

내가 제안했지만, 적자의 쇼크를 받던 4대가 즉답했다.

『기각. 그건 허락할 수 없어요.』

이렇다니까.

역대 당주들은 딱히 이유도 말하지 않고 나의 아츠 사용을 금지했다.

아츠 사용을 인정하는 조건은 아람사스 지하 미궁【지하 30층을 아츠 사용 금지 상태로 공략할 것】이다.

뭐가 됐든 이 조건을 양보하지 않았다.

덤으로 초대가 남겨준 은색 무기— 대검마저도 사용 금지다.

4대는 안경을 벗고 렌즈를 닦았다.

『과제를 달성할 때까지 아츠 사용은 절대 인정할 수 없습니다.』

"그러면 어째서 사용을 금지한 건지 가르쳐 주실래요?"

내 질문에 대답한 것은 3대다.

『스스로 고민해봐. 뭐, 이것도 과제 중 하나라고 생각하거든.』

이런 식으로 내 질문에는 대답해주지 않는다.

조부인 7대가 내게 말했다.

『라이엘. 스스로 대답을 찾아내는 것도 중요하다. 그렇기에, 우리는 몇 년이 걸리든 아츠 사용을 인정할 수 없어. 빨리 아츠를 쓰고 싶다면, 어서 지하 30층을 공략하도록 해라.』

지하 30층— 아람사스에서 그걸 달성할 수 있는 모험가가 얼마나 될까?

과거에 달성한 파티는 수십 명이나 되는 인원을 모아서 도전했다고 들었다.

지금 우리는, 미란다 씨가 들어오긴 했지만 다섯 명이다.

클라라 씨를 임시로 고용해도 여섯 명밖에 안 된다.

제대로 된 방법으로 과제를 달성하려면, 그야말로 몇 년이 걸릴 것이다.

"인원을 늘리라는 건가요?"

3대가 히죽히죽 웃었다.

『그건 라이엘의 마음에 달리지 않았을까? 이크, 슬슬 눈을 뜨는 게 좋겠어.』

3대가 그렇게 말하자, 나는 보옥에서 떨어져 내 몸으로 돌아갔다.

누가 몸을 흔드는 걸 느끼며 눈을 떴다.

지하 미궁 3층.

좁은 방 안에서 휴식을 취하던 우리는 지상으로 돌아가는 중이었다.

원래는 사흘 안에 지하 10층을 노릴 예정이었다.

그러나 사흘간 그 절반도 진행하지 못했다는 사실이 지금 우리의 실력을 나타내주고 있었다.

"라이엘 님. 시간 됐어요."

"응, 미안해. 어라?"

주변을 보니 전원 일어나 있었다.

원래는 전원이 일어날 리가 없다. 그 전에 내가 일어나 불침 번을 교대했어야 하니까.

"……혹시, 늦잠 잤어?"

노웸이 미소 지었다.

"아뇨. 피곤하신 것 같아서 그대로 주무시게 했어요. 불침 번은 제가 맡았으니까 안심하세요."

나는 황급히 일어났다.

"미, 미안. 바로 출발을—."

당황하는 나를 노웸이 제지했다.

"그 전에 식사하세요. 이제는 지상으로 돌아가기만 하면 되 지만, 방심해서는 안 되니까요."

거북한 분위기 속에서 내게 나온 식사를 받았다.

빵과 수프다.

그러나 수프의 맛은…… 심각했다.

쓴맛 나는 물 같다.

까놓고 말해서 맛있지 않다.

무심코 가슴을 누르자, 노웸이 물을 준비해주었다.

조금 떨어진 곳에서 소피아 씨가 입을 열었다.

"보세요, 라이엘 공도 같은 반응이잖아요. 아리아, 역시 실패네요. 수프라기보다는 맛이 나는 온수에요. 오히려 맛이 안 나는 게 더 낫지 않았을까요?"

아리아 씨가 식사 당번이었는지, 겸연쩍은 변명을 입에 담았다.

"피곤하니까 싱겁게 하는 게 좋다고 생각했다고! 소피아는 진하게 만드니까 내 요리의 좋은 점을 모르겠지만."

"아리아가 너무 싱거운 거예요. 저래서는 힘도 나지 않아요."

두 사람은 음식의 간에 관해서도 정반대였다.

나는 빵을 수프로 부드럽게 만들어서 먹으며 뱃속에 흘려 넣고는 바로 식사를 끝냈다.

아리아 씨를 보고 웃어주긴 했지만, 뺨은 실룩거렸다.

"마, 맛있었어요."

아리아 씨도 소피아 씨도, 내게 의심 어린 시선을 보냈다.

미란다 씨가 키득키득 웃었다.

우리의 모습을 보며 즐기고 있다.

"라이엘. 지금 거짓말은 심하지 않아? 그도 그럴 게 다들 맛없다고 생각하고 있거든. 아리아도 솔직히 실패했다고 생각하지?"

아리아 씨가 고개를 수그렸다.

"미, 미안하게 됐네. 아람사스의 조미료에는 익숙하지 않다고."

여행을 하다 보니 나도 깨달은 게 있다.

그건 지방에 따라 음식 맛이 다르다는 것이다.

같은 지방에서도 미묘하게 차이가 있다고 한다. 일반적인 가정 요리조차도, 예전에 활동하던 도시와 아람사스는 왠지 맛이 다르다.

왜냐하면 손에 들어오는 고기나 채소에 차이가 있기 때문이다.

본 적 없는 채소도 있었다.

아리아 씨도 아람사스의 식재료를 써서 조리하는 게 힘들었던 것이리라.

2대가 보옥 안에서 말했다.

『음식 간으로도 싸우는 걸 보고 있자니, 어머니와 아내가 떠오르는군.』

3대도 그리운 듯한 말투로 이어받았다.

『그러게. 할머니는 반세임 왕국 북부 출신이어서 특히 진하게 만들었으니까. 북부는 추워서 요리는 진하게 만들거든.』

이 목소리는 나에게만 들린다.

그래서 내가 월트 가 역대 당주 여섯 명의 조력을 얻고 있다는 건 아무도 모른다.

역대 당주들은 이 사실을 밝혔을 때 주변에서 나를 어떻게 볼 건지 가르쳐주었다.

자신들이 조력해주고 있다는 명확한 증거를 내놓을 수 없다면, 이대로 침묵하는 게 나를 위해서라고 했다.

나도 목에 걸고 있는 보옥에 역대 당주들의 기억이 있다는 걸 주변에 알려주고 싶었다.

내 마력을 빨아들여서 소란을 부리는 이 녀석들 덕분에 민폐를 겪고 있다는 걸 알아줬으면 좋겠다.

월트 가의 푸른 보옥은 역대 당주들이 조언을 주는 데다가 아츠 사용 방법까지 가르쳐주는, 듣기만 하면 그냥 고마운 마구다.

그러나 내게서 마력을 빨아들인다. 그것도 쭈웁쭈웁 소리가 날 듯이 빨아들인다.

그 때문에 나는 지금까지 몇 번이고 의식을 잃으며 쓰러졌다.

덕분에 나는 체력이 없다는 말을 듣고 있다.

덤으로 여성에게 업혀서 거리를 이동했기 때문에, 한심한 남자라며 아람사스에서 유명세를 얻어가고 있었다.

정말 유감이다.

그런 고민을 하고 있는데, 아리아 씨가 나지막하게 중얼거렸다.

"소피아는 시골 출신이니까, 도회지의 맛을 모르는 거야."

요즘 아리아 씨가 뾰족하다.

그건 소피아 씨도 마찬가지다.

"도회지의 맛? 저는 아리아의 수프가 얼마나 좋은지 이해할 수가 없네요. 이거보다는 그나마 그 오토마톤 쪽이 더 나아요."

그 말이 아리아 씨의 역린을 건드린 모양이다.

"말했겠다! 애초에 그 말을 한다면 소피아도 못 이기잖아! 뭐야, 요리를 배웠으면서 오토마톤한테 지다니!"

서서히 말다툼이 격렬해지는 두 사람을 말린 건 노웸이었다.

"두 분 다 이제 그만하세요. 휴식 시간이 지났잖아요. 뒷정리가 끝나면 출발하죠."

조금 떨어진 위치에서 앉아 책을 읽던 클라라 씨는 참견하지 않겠다는 태도로 일관하고 있다.

그녀만 고용된 임시 파티 멤버이고, 우리와는 계약상의 관계다.

미란다 씨는 히죽히죽 웃고 있다.

"어머, 벌써 끝이야? 조금 더 보고 싶었는데."

무척 우수한 미란다 씨. 그녀는 전위든 후위든 전부 능숙하게 맡을 수 있는 사람이다.

"미란다 씨. 너무 부추기지 말아 주실래요?"

노웸이 제안하자, 미란다 씨는 조금 차가운 미소를 지으며 대답했다.

"조금 정도는 본심을 털어놓는 게 건전하지 않을까? 뭐, 파티 내부에서 후배인 나는 지시에 따르는 게 좋겠네. 라이엘의 제일이 될 때까지는 참아줄게."

이 자리의 분위기가 더욱 안 좋아졌다.

전원이 입을 다물었고, 들려오는 건 클라라 씨가 책 페이지를 넘기는 소리뿐.

미란다 씨의 결점을 거론하자면, 저 성격이다.

5대가 조금 기겁했다.

『……이게 미레이아의 증손녀냐.』

미란다 씨의 증조모는 월트 가에서 시집을 보낸 여성 미레이아다.

즉, 나와 미란다 씨는 머나먼 친척— 아니, 이젠 거의 타인인가? 아무튼, 5대 이후 당주들에게는 인연이 있는 여성이다.

5대의 딸.

6대의 여동생.

7대의 고모.

그런 여성의 증손녀인 미란다 씨는, 내 파티에 가입하자 모두의 앞에서 「라이엘의 제일이 되고 싶어」라고 선언했다.

그때부터 묘하게 파티의 분위기가 삐걱거리고 있는 것 같다.

6대가 신음하는 소리를 내며 곤혹스러워했다.

『그 다정하던 미레이아의 증손녀가, 어째서 이렇게…….』

단지, 7대만큼은 조금 생각하는 바가 있었나 보다. 어디가 어떻게 닮았다고는 확실히 말하지 않았지만, 미란다 씨를 보며 납득하고 있는 것 같았다.

『틀림없이 고모님의 증손녀로군요.』

내 주변에는 여성밖에 없다. 이건 모험가치고는 희귀한 파티다.

모험가라고 하면, 좀 더 남자 냄새가 나고 마음이 맞는 동료들이 모인다는 이미지가 있다.

아니, 모험가 길드에서 보이는 많은 파티들은 전부 그런 느낌이다.

남자 한 명에 다른 이들은 모두 여성으로 구성된 파티는 극단적으로 적어서, 나도 지금까지 본 적이 없다.

전원이 입을 다물고 묵묵히 짐 정리를 시작했다. 예전에는 좀 더 웃음이 많았던 것 같은데, 미란다 씨의 가입 이후로 분위기가 돌변했다.

"……나, 어디서 잘못이라도 했나?"

혼자 중얼거리자, 보옥 안에서 시끄러운 녀석들이 순서대로 코멘트했다.

『분위기가 험악해진 건 미란다의 가입부터잖아?』

『아니, 애초에 라이엘의 태도에 문제가 있지 않아?』

『어디서 잘못이 있었느냐 하면…… 역시 아람사스에 처음 왔을 무렵부터일까요? 그때 라이엘의 짧은 반항기가 있었으니까요.』

『그건 심했지.』

『라이엘. 좀 더 정신 똑바로 차리도록 해라.』

『애초에 어디서 잘못했느냐가 아니라, 지금까지 계속 잘못해 왔던 결과가 아닐지?』

……역대 당주들은 제대로 된 조언을 해주지 않았다.

정말로 내가 가진 푸른 보옥은 저주받은 게 아닐까?

지상으로 돌아오니 해가 저물고 있었다.

예정보다 조금 일찍 돌아온 우리는 그 길로 아람사스 모험가 길드로 향했다.

아람사스는 중앙에 학원이 세워져 있어서 학술도시라 불린다.

게다가 또 하나, 도시부 중앙에는 지하 미궁 입구가 있다.

미궁을 도시 안에 보유하는 건 다른 도시에서는 볼 수 없는 커다란 특징 중 하나다.

통일감이 없는 주변 거리.

그 안을 걸어가던 우리를 바라보는 주민들의 시선은 차가웠다.

모험가는 도시부에 사는 사람들에게는 방해되는 존재이니까.

무장하고 있기에 무서워하고, 마물과의 싸움으로 흘린 땀이나 피로 더러워진 몸은 간단히 말해서 냄새가 지독하다.

일반 주민들에게는 접근하고 싶지 않은 상대다.

"나 참. 모험가는 좀 어떻게 안 되나?"

"아람사스의 경관을 망치고 있어요."

"게다가 저거 좀 보세요. 젊은 남자 한 명이 아름다운 여성들을 데리고 있어요. 정말로 부럽— 괘씸한 일이라니까요. 수치를 모르는 모양이에요."

여성이 모험가를 하는 건 수치인가?

그렇게 반박하고 싶었지만, 추측해보면 내 주변에 미소녀가 모여있는 게 싫은 거겠지.

최근에는 왠지 모르게 알게 되었다.

내부 사정을 아는 내게는 부럽기만 한 관계가 아니지만……
그런 말을 해봤자 상대에게는 놀리는 말로 들리겠지.

2대가 짜증을 냈다.

『누구 덕분에 아람사스가 먹고사는 줄 알기나 하는 건가?
애초에 경관이라면 통일감이 없는 뒤죽박죽 거리를 어떻게
좀 해보라고.』

4대는 흥미가 없어 보였다.

『뭐. 모험가를 싫어하는 사람은 많으니까요. 애초에 7대도
모험가 혐오 아닙니까.』

7대가 여느 때처럼 모험가 혐오를 당당하게 입에 담았다.

『싫지요. 원래대로라면 라이엘에게 모험가 따위를 시키고
싶지 않았습니다.』

차가운 시선 속을 걸었다.

모험가 길드가 있는 곳은 도시부 외벽 근처.

지하 미궁에서 멀리 떨어져 있다.

지쳤는지, 아니면 분위기가 안 좋은 탓인지 파티 멤버는 입
을 열려고 하지 않았다.

그래서 내가 말을 걸었다.

"오, 오늘은 시간도 있으니, 모두 외식이라도—."

아리아 씨가 거부했다.

"돌아가면 깨끗하게 씻고 눕고 싶으니까 나는 안 가."

곧바로 소피아 씨도 불참을 표명했다.

"저도 미궁에서 식사를 했으니 사양할게요."

노웸이 곤란한 듯이 뺨에 손을 댔다.

"역시 두 사람을 남겨두고 외식은 못 하겠네요."

아리아 씨도 소피아 씨도 최근 내게 보이는 태도가 차갑다.

미란다 씨가 나를 놀렸다.

"라이엘이 외식한다고 말하면, 네 메이드가 슬퍼할걸."

내 메이드…… 아니. 응, 메이드이긴 하지.

틀린 말은 아니지만, 그건 정말로 메이드일까?

클라라 씨가 나를 보면서 조금 조심스럽게 작은 목소리로 말했다.

"……저도 도서관에 볼일이 있어서, 길드에서 해산했으면 좋겠어요."

나는 어깨를 떨구며 곤란한 듯이 웃었다.

"그, 그래요. 그, 그럼 바로 돌아갈까요."

보옥 안에서 키득키득 웃는 소리가 들려왔다.

내가 역대 당주들에게 짜증을 내자, 문득 클라라 씨가 불러 세웠다.

모험가 길드에서 마석이나 소재를 판 우리는 미란다 씨의 집으로 돌아왔다.

여관에서 숙박하면 돈이 꽤 많이 들기 때문에, 이렇게 살 수 있는 집이 있는 건 무척 고맙다.

"다녀왔습니다."

현관문을 여는 내 기분은 어두웠다.

길드에서 환금한 금액이 적었던 것도 있다.

계약상, 보수는 균등 분배.

서포트인 클라라 씨는 균등 분배하고 나서 남은 것의 7할을 보수로 받는다.

그 때문에 클라라 씨까지 수익이 적었다.

미궁에 들어가기 위해서는 준비가 필요하지만, 당연히 그것에는 돈이 든다.

소모품도 많아서, 다시 사려면 상당한 돈이 든다.

사흘 예정이었으니까 그나마 나은 거였지만, 클라라 씨의 그 말은 잊을 수가 없었다.

『이런 상태라면, 같은 내용의 계약으로 일하는 건 사양하고 싶네요. 다음에도 제 서포트를 희망하신다면 보수는 제 쪽에서 정하도록 하겠어요.』

클라라 씨에게도 생활이 걸려있다.

실패했습니다, 하고 넘길 수는 없는 것이다.

그걸 생각하면 우리는 행운이다.

왜냐하면 나름대로 비축이 있고, 이렇게 아람사스에서 집세를 낼 필요가 없는 집이—

"치킨 자시이이익!"

"끄아아악!"

내가 외친 이유는, 문을 연 순간 뛰쳐나온 한 명, 아니 한 대의 오토마톤 때문이다.

흔들리는 금빛 트윈테일에 붉은 눈과 똑같은 색상의 메이드복이 특징적인 오토마톤은, 사람이 아니다.

멸망해버린 문명의 유산. 고대인들이 만든 자동인형— 기계 장치로 된 인형이다.

내가 지은 【뽀용뽀용】이라는 이름을 싫어해서, 나를 치킨 자식이라고 욕하는 정신 나간 자칭 메이드 오토마톤.

가뜩이나 피곤한 상태인 나에게 뛰어드는 바람에 떠밀려서 쓰러지고 말았다.

"뭐 하는 짓이야!"

뽀용뽀용은 상반신을 일으키고는 뺨을 붉혔다. 내 위에 걸터앉은 채로 얼굴을 붉히는 메이드라니, 해고해버리고 싶다.

"식사부터 하시겠나요? 목욕부터 하시겠나요? 아니면…… 저, 부, 터!"

귀엽게 포즈를 잡았지만, 나는 차가운 눈으로 뽀용뽀용을 올려다봤다.

"……일단 순서대로 목욕탕에 들어갈 테니까, 그 전에 비켜 주지 않을래?"

"진지한 대응인가요! 치킨 자식, 조금은 쑥스러워해주세요. 이 뽀용뽀용, 무척 쓸쓸했거든요!"

현관 앞에서 나와 뽀용뽀용을 바라보는 여성진은 뭐라 말 못 할 표정을 짓고 있었다.

한 지붕 아래에서 생활하고 있으니 뽀용뽀용의 기행은 알고 있을 텐데, 나한테까지 차가운 시선을 보내는 이유를 모르겠다.

내 잘못은 없을 텐데, 나를 책망하는 시선은 그만 보냈으면 좋겠다.

그렇게 생각하고 있는데, 노웸이 뽀용뽀용을 밀쳐냈다.

"뽀용뽀용 씨. 라이엘 님은 지치셨으니까 이런 짓을 하는 건 그만둬주세요."

뽀용뽀용은 노웸의 말보다도, 그 말을 꺼낸 노웸 본인에게 화를 냈다.

아람사스 학원에서 교수 일을 하는【데미언 발레】라는 괴짜의 연구실에서 기동한 뒤부터, 노웸에게는 적의가 있다는 걸 숨기지도 않는다.

"시끄러워요. 이 암여우. 치킨 자식의 시중은 누구에게도 양보할 수 없어요!"

이렇듯 기행이 눈에 띄는 오토마톤이지만, 메이드, 아니 고용인으로서는 정말로 우수하다.

세탁, 청소부터 요리까지 뭐든 할 수 있다.

그래서 집 안은 언제나 쾌적하다.

미란다 씨가 내게 손을 내밀었다. 손을 잡고 일어나자 시야에 한 소녀의 모습이 들어왔다.

현관에서 불쾌한 표정을 짓는 소녀―【샤논 사크라이】가 나를 노려봤다.

미란다 씨의 여동생으로, 웨이브가 진 보라색 긴 머리와 노란색 눈동자를 가진 소녀.

용모는 귀엽지만, 내게 보이는 태도는 귀여움이 조금도 없다.

이 녀석은 나를 싫어한다.

그리고, 나는 이 녀석— 샤논이 싫었다.

여동생이라니, 보기만 해도 짜증이 솟구친다.

"칫, 너만 안 돌아왔으면 좋았을 텐데."

입 밖으로 이런 소리나 내뱉는 유감스러운 계집애다.

나보다 두 살 연하로, 그 세레스와 같은 나이.

그것만으로도 싫은데, 이 녀석은 내게 정말로 태도가 나쁘다.

"시끄러워. 이 망할 꼬맹아."

나도 반박했지만, 보옥 안에서 4대의 어이없어하는 소리가 들렸다.

『연하 어린애한테 뭘 그리 화내는 겁니까.』

샤논은 혀를 내밀었다.

"너 때문에 언니가 이상해졌잖아! 이 기둥서방 자식!"

"지금 뭐라고 했어!"

"기둥서방 자식이라고 했어. 우리 자매의 집에 눌러앉아서, 제대로 벌지도 못하는 데다 언니한테 민폐나 끼치는, 이 기둥서방 자식!"

기둥서방 자식이라고 큰소리로 외친 샤논에게 화를 내고 있는데, 보옥 안의 역대 당주들이 크게 웃음을 터뜨렸다.

『뭐, 확실히 잘못된 말은 아니군!』

『기둥서방 자식! 응, 틀리지는 않았네!』

『……풉.』

『집은 미란다, 아니 사쿠라이 가의 소유물이고, 최근에는 돈을 벌지도 못하고 있으니 틀렸다고는 단언할 수 없겠어.』

『이야~ 샤논도 말을 잘하는군요.』

『라이엘. 다음에 노력하면 되지 않느냐……. 그나저나 기둥서방 자식이라니…….』

7대가 웃음을 참고 있는 모습이 거슬린다.

내가 분통해하는 사이, 미란다 씨가 샤논을 안아서 들어 올렸다.

"바보 같은 소리 하지 말고, 어서 오라는 말쯤은 하렴."

샤논은 미란다 씨를 무척 좋아한다. 그래서 좋아하는 언니의 말은 따른다.

"미, 미안해요. 언니, 어서 오세요."

"모두에게 말해야지."

미란다 씨가 위협하자, 샤논은 「히익!」 하고 목에서 묘한 소리를 내뱉었다.

꼴좋다.

"어, 어서 오세요."

미란다 씨는 샤논을 바닥에 내려놓고 머리를 쓰다듬었다.

"다녀왔어. 자, 모두 지쳤으니까 바로 현관에서 이동하자. 뽀용뽀용도 노윔도 싸움은 적당히 하고."

두 사람을 보니, 아직도 말다툼을 하고 있었다.

노윔이 미란다 씨의 말에 정신을 차리고, 부끄러운 듯이 헛기침을 했다.

"……실례했습니다. 자, 라이엘 님부터 먼저 목욕탕에 들어가세요."

나는 고개를 내저었다.

"아니, 역시 마지막에 해도 돼. 너희부터 들어가."

그런 나와 노웸의 대화를 보던 뽀용뽀용이 분한 듯이 손수건을 깨물었다.

"제가 이렇게나 성심을 다하고 있는데, 치킨 자식은 돌아보지도 않는다니…… 이건 이것대로 좋을지도 모르겠네요. 응, 즐거워졌어요!"

방금 전까지 눈물을 흘리며 분통해하더니만 또 갑자기 웃다니, 뽀용뽀용은 표정이 참 풍부하달까, 저런 변모를 보면 기겁하게 된다.

"……왠지 무서워."

"어째서인가요! 잠깐만요, 정말로 기겁하지 말아주세요. 치킨 자식에게 미움받으면 저는 살아갈 수 없다고요!"

그런 대화를 하던 중, 조금 떨어진 곳에서 아리아 씨와 소피아 씨가 뭔가 말하고 싶다는 시선을 보내고 있었다.

눈이 마주치자, 두 사람 모두 말없이 집 안으로 들어갔다.

"치킨 자식이 목욕탕에 들어가지 않는다면, 먼저 밥이겠네요. 맡겨주세요. 오늘은 치킨 자식이 좋아하는 요리를 준비했으니까요."

노웸은 뽀용뽀용에게 곤란한 표정을 지으면서 둘이서 집 안으로 들어갔다.

"좋아하는 것만 준비하시면 곤란한데요."

"암여우의 의견은 묻지 않았어요."

마지막으로 남은 건 나였다.

안으로 들어가려 하자, 집 안에서 샤논이 고개를 내밀었다.

"……바~보."

그렇게 말하며 집으로 도망치는 샤논을 본 나는 다시금 확신했다.

"역시 여동생은 최악이야."

─목욕과 식사를 마친 아리아는 침대에 누워 천장을 바라봤다.

사크라이 자매의 집은 저택이라고 부를 수 있을 만큼 컸다.

방의 숫자도 인원만큼 배정되어서, 1인 1실은 고마웠다.

집단생활에 불만은 없지만, 아리아는 최근 이렇게 혼자 있을 때는 자신이 마음을 놓게 되는 것을 깨달았다.

"오늘도 실패했어."

이마에 손등을 댔다.

창밖은 밤이 되었다.

목욕탕에서의 일이 떠오른다.

한 명씩 들어가면 시간이 걸리기에 소피아와 둘이서 입욕했다. 그러나 소피아는 아리아가 시골 요리를 바보 취급한 것에 화가 났는지 한마디도 입을 열지 않았다.

"나도 안 되겠네."

사과하고 싶었지만, 솔직하게 사과할 수 없었다.

요즘 사소한 일로 싸움을 벌이게 되었다. 지금까지는 노웸이 중재하거나, 주변에서 두둔해줬기에 잘 풀었었다.

그러나, 그런 동료들을 미란다가 흩트려버렸다. 실제로 부추기고 있고, 그걸 보고도 아무것도 하지 않는 라이엘에게도 화가 났다.

'하지만, 가장 싫은 건 나야…… 실패만 해서 발목을 잡아당기고 있고.'

미란다가 가입하고 나서, 분위기가 영 좋지 않다.

"라이엘의 제일이 되고 싶다, 라."

아리아는 미란다가 했던 말을 중얼거렸다.

그 말을 들었을 때, 자신은 확실히 초조해졌다는 것이 떠올랐다.

자신은 대체 어쩌고 싶은지 해답을 찾지 못한 채, 오늘도 끙끙대는 밤이 흘러갔다─.

제56화 각자의 과제

해가 뜨자마자 일어난 나는 뜰로 나와 기지개를 켰다.

이 계절은 이른 아침부터 햇살이 강해서 눈부시다.

하품을 하며 신선한 공기를 마시자, 집에서 파자마 차림의 샤논이 눈을 비비적대며 나왔다.

그러더니 나를 보고 노골적으로 불쾌한 표정을 지었다.

"어째서야?"

"아침부터 불쾌한 얼굴을 보고 싶지 않았을 뿐이야. 언니가 두들겨 깨우지 않았다면 네 얼굴을 보지 않을 수 있었을 텐데."

제멋대로 불평을 늘어놓는 샤논에게 화가 솟구쳤다.

"나, 너 싫어."

"어머, 그래? 나도 싫어. 언젠가 언니의 눈을 뜨게 해서 집에서 쫓아내 버릴 거야."

아침부터 샤논과 으르렁댔다.

이 녀석, 터무니없는 바보지만 가지고 있는 능력 탓에『눈』이 굉장하다고 한다.

감정을 읽거나, 마력을 다루는 것에 뛰어난『마안』을 가졌다.

그러나 본인의 역량이 너무 낮아서 쓰지 못하는, 돼지 목에 진주 목걸이 같은 상태다.

불쾌한 기분이 들던 와중, 뜰을 청소하기 위해서인지 도구를 든 뽀용뽀용이 밖으로 나왔다.

"어라, 아침부터 신기한 조합이네요. 사이좋아 보여서 무척 다행이지만, 이 뽀용뽀용을 방치한다면 밤중에 훌쩍훌쩍 울어버릴 거예요. 머리맡에서!"

심술을 부리겠다고 협박하는 오토마톤에게 나와 샤논이 입을 모아 외쳤다.

"사이좋지 않아!"

"사이좋지 않거든!"

서로 다시 노려봤다.

뽀용뽀용은 그런 모습을 보며 싱글벙글 웃고 있었다.

"어머, 호흡도 딱 맞네요. 그나저나, 어째서 샤논까지 밖에 나온 거죠? 평소라면 아슬아슬할 때까지 자면서."

뽀용뽀용은 기본적으로 나를 특별시하고, 그 이외에는 평등하게 함부로 대한다.

나는 치킨 자식이라 부르지만, 다른 이들은 전부 경칭 없이 부른다.

그리고 어째서인지 노웸을 암여우라 부르면서 적개심을 품고 있다.

샤논은 마지못해 대답했다.

"언니가, 빨리 일어나서 바깥 공기라도 마시고 오라고 해서. 전에는 다정했는데, 너희가 집에 눌러앉고 나서 언니가 저렇게 돼버렸어."

우는 시늉을 하며 비극의 히로인 같은 태도를 보이지만, 이 녀석은 저 눈— 마안으로 친언니를 조종해서 친가에 복수하려고 했던 악당이다. 복수 내용은 어린애가 생각할 만한 장난이었다지만, 그런 녀석에게 인정 같은 건 필요 없다.

"너는 좀 더 반성하라고. 그보다, 정신을 지배당할 뻔했던 언니가 고작 이 정도로 대응하는 건 너무 다정하다고 생각하는데."

"시끄럽네, 이 기둥서방 자식!"

"기둥서방이라고 하지 마!"

내가 냉정하게 설명하자 반박할 수 없는지 기둥서방이라고 욕설을 내뱉는 샤논이 싫다.

그러자 뽀용뽀용이 청소도구를 바닥에 났다.

"어머, 아침부터 참 기운차네요. 확실히 일찍 일어나는 건 건강의 비결이죠. 그럼, 이 뽀용뽀용이 맑고 올바른 아침의 전통적인 체조를 가르쳐드리죠."

나와 샤논이 뽀용뽀용을 바라봤다.

"너 그런 것도 할 수 있어?"

"아침부터 움직이고 싶지 않은데. 오히려 자고 싶은데."

뽀용뽀용은 그런 우리를 무시하고 기운찬 목소리로 외쳤다.

"그럼! 팔을 앞으로 내밀었다가 위로 올려서 크게 기지개를 켜는 운동부터—"

움직이기 시작한 뽀용뽀용을 흉내 내서 몸을 움직이자, 샤논도 마지못해 따라 했다.

그대로 5분 정도 운동하자, 나는 몸이 따스해지는 정도였지만…… 샤논은 옆에서 숨을 헐떡이고 있었다.

병약한 영애를 연기하고 있던 이 녀석은, 빈둥거리며 생활해서 그런지 체력이 없다.

그걸 보며 나는 웃었다.

"뭐야 너? 혹시 이 정도도 못 해?"

내 말을 듣고 울컥한 샤논이 달려들었다.

"나보다 체력이 좀 좋다고 으스대지 말아 줄래! 너 같은 건 언니한테 흠씬 두들겨 패달라고 할 거니까!"

한번 너덜너덜하게 두들겨 맞았던 내게는 웃을 수 없는 이야기다.

"무척 한심한 협박이네."

무슨 일이든 언니에게 의존하는 샤논을 보며, 나는 코웃음을 쳤다.

샤논은 그게 더욱 화가 났는지 내 정강이를 걷어차려 했지만, 간단히 피할 수 있었다. 히죽거리며 내려다보자, 체구가 작은 샤논은 부들부들 떨면서 완강하게 나를 걷어차려 했다.

그걸 피하자, 뽀용뽀용이 우리를 보며 한숨을 내쉬었다.

"하아…… 엉망이네요. 치킨 자식의 움직임도 너무 엉터리에요."

그 말을 듣고 뽀용뽀용을 봤다.

"네가 알 수 있어?"

화가 난 샤논이 양손을 휘두르며 내게 덤벼들어서, 왼손으로 머리를 눌러줬다.

뽀용뽀용은 트윈테일을 흔들며 포즈를 잡았다.

"물론이죠! 이 뽀용뽀용, 무술의 마음가짐도 물론 인스톨해 놨으니까요. 무예도 메이드의 필수 기능 중 하나라고요."

샤논이 저항을 멈추고 내 얼굴을 바라봤다.

"메이드는 무예가 필수 기능이야? 내가 아는 고용인하고 달라."

"그게, 이 녀석 조금 망가졌으니까. 게다가 고대인의 생각은 나도 모르고."

이 녀석의 말을 액면 그대로 받아들이면 지치니까, 나와 샤논은 뽀용뽀용에게 불쌍한 녀석을 본다는 듯한 시선을 보냈다.

뽀용뽀용이 초조해했다.

"자, 잠깐만요! 믿지 않으시는 거죠? 이 뽀용뽀용을 약하다고 생각하시나요? 그건 큰 오산이에요."

뭐, 기계니까 어느 정도 파워는 있을지도 모르지만…….

뽀용뽀용이 자세를 잡았다.

"그럼 여기서 증명하도록 하죠. 자, 어디서든 덤벼보세요!"

나는 샤논과 얼굴을 마주 봤다.

"자, 자세 잡아줘. 불쌍하잖아."

"아무리 그래도 외모가 여자아이인데 때리는 건 좀…….""

"너, 아까 내 얼굴을 눌렀잖아!"

"아니, 너는 싫어하니까."

뽀용뽀용은 그 자리에서 주저앉아 훌쩍훌쩍 울기 시작했다.

"그렇게 사이가 나쁘다고 했으면서, 이 뽀용뽀용 앞에서 사이좋은 모습을 보여주는 건가요. 부럽지 않거든요."

토라져 버린 오토마톤을 동정했는지, 보옥 안에서 2대의 목소리가 들렸다.

『좀 어울려줘라. 라이엘.』

보다가 딱해진 모양이지만, 5대는 조금 신경이 쓰인 모양이다.

『아니, 진짜로 어울려줘. 저 자세, 초심자로는 보이지 않아.』

그 말을 듣고도 설마 그럴 리가 없다고 생각하면서, 나는 뽀용뽀용에게 다가갔다.

"한 번뿐이야."

기뻐하며 뛰어오른 뽀용뽀용이 착지 순간 자세를 잡았다.

"역시 치킨 자식! 자, 어디서든 덤벼주시죠!"

일단 때려봤다.

그러자, 왼손으로 방어한 뽀용뽀용이 날아갔다.

"……어?"

뽀용뽀용은 바닥을 굴렀고, 그대로 낙법을 잡으며 일어서더니, 방어한 자신의 팔을 보면서 고개를 갸웃했다.

보옥 안에서 5대가 키득키득 웃는 소리가 들렸다.

이럴 때 놀리는 건 3대다.

『초심자로는 안 보인다니. 살짝 때렸는데도 날아갔잖아.』

4대가 내게 화냈다.

『그렇게 세게 때릴 필요는 없었습니다. 애초에 기계라고는 해도, 외모가 여자아이인 뽀용뽀용을 참 잘도 때리는군요.』

나도 힘 조절을 했다.

그러나 뽀용뽀용이 예상 이상으로 멀리 날아간 것이다.

샤논이 나를 봤다.

"사과해. 아무리 그래도 지금 건 심하잖아."

샤논에게 들으니까 「네가 할 소리냐!」라고 반박하고 싶어졌지만, 아무튼 나는 뽀용뽀용에게 사과하기 위해 다가갔다.

그러나 뽀용뽀용은 갑자기 펄쩍 뛰더니 공중에서 앞으로 회전하면서 내 앞에 착지하더니 자세를 잡았다.

"과연, 이해했어요. 역시 마력이라는 건 신기하네요. 육체를 그렇게까지 강화할 줄은 몰랐어요."

나는 다시 자세를 잡은 뽀용뽀용을 보고 어이가 없어졌다.

"아니, 이제 됐잖아. 아까 그걸로 알았지?"

뽀용뽀용은 호언장담한 만큼 강하지 않다고 생각하고 있는데, 눈앞에 주먹이 다가왔다.

황급히 피하자, 이번에는 자세가 흐트러졌을 때 팔을 잡혀서 내동댕이쳐졌다.

"……엥?"

정신이 들자 나는 잔디밭 위에 누워있었다.

아픔은 없다. 지면에 꽂히는 순간 손을 풀었다. 힘 조절을 한 것이다.

뽀용뽀용은 나를 놓고는 그 커다란 가슴을 펴면서 자랑했다.

"어떠신가요? 이게 이 뽀용뽀용의 실력이라고요."

샤논이 뽀용뽀용에게 달려가서 기뻐했다.

"지금 그거 굉장하네! 나한테도 가르쳐줘! 저 자식을 너덜너덜하게 만들어 줄 거야!"

나는 납득하지 못하고 일어나서 뽀용뽀용에게 다시 승부할 것을 요구했다.

"하, 한 번 더 해!"

뽀용뽀용이 자세를 잡았다.

"상관없어요. 하지만, 지금의 치킨 자식이 저를 쓰러뜨릴 수 있을 것 같지는 않네요."

히죽히죽 웃는 뽀용뽀용을 후려치자, 이번에는 주먹이 튕겨 났다.

다시 타격을 날렸지만, 그것도 튕겨나서 바닥을 굴렀다.

보옥 안에서 감탄하는 소리가 나왔다.

『이거 놀랍군요. 자세뿐인가 싶었는데, 움직임도 좋아요. 어머님들이 떠오르는데요.』

6대의 목소리에 5대도 동감했다.

『이 녀석. 처음에 맞았을 때 일부러 뒤로 뛰었어.』

일어나서 자세를 잡자, 뽀용뽀용은 나를 똑바로 바라봤다.

"치킨 자식의 신체 능력은 경악스럽기는 하지만, 정말로 그 것뿐이에요. 그것 말고는 재능 있는 초심자라는 느낌이네요."

샤논이 뽀용뽀용을 응원했다.

"해치워! 그 초심자를 너덜너덜하게 두들겨줘!"

이번에는 뽀용뽀용을 붙잡아서 내던지려 했는데, 반대로 내 동댕이쳐졌다.

"거, 거짓말이야"

승리를 뽐내는 뽀용뽀용은 트윈테일 한쪽을 들어 올리며 말했다.

"그러니까 말했잖아요. 저는 강하다고. 이래 봬도 긴 세월에 걸쳐 축적된 데이터가 들어있으니까요."

이런 망가진 기계한테 지는 건가 싶어 쇼크를 받고 있는데, 3대가 보옥 안에서 감탄하며 손뼉을 쳤다.

『이건 상상 이상이네. 라이엘을 이렇게나 휘두를 수 있는 상대는 거의 없을 텐데.』

나는 일어났다.

"너, 너한테는 반드시 이기고 말 거야!"

그러자, 뽀용뽀용이 포즈를 잡았다.

"언제든 상대해 드리죠. 하지만, 이 뽀용뽀용은 치킨 자식의 시중을 드는 게 일. 저를 이기고 싶으시다면, 저는 전력으로 서포트를 해드리겠어요!"

그건 대체 무슨 뜻이지?

나는 샤논과 함께 고개를 갸웃했다.

"저기, 그거 이상하지 않아? 이 기둥서방 자식은 너를 이기고 싶은 건데, 네 시중을 받는 거야? 이 녀석, 대체 얼마나 한심한 기둥서방인 거야?"

샤논은 나를 노려보며 싸늘한 표정을 지었다.

뽀용뽀용에게 져버린 나를 비웃는 게 틀림없다.

"기둥서방이라니…… 근사하네요. 저, 못난 주인님을 정말 좋아하거든요. 그건 넘어가고, 저를 이기고 싶으시다면 단순히 저한테 배우면 되는 거죠."

나는 그게 싫었고, 왠지 모르게 샤논에게 대항심도 들었기에 크게 외쳤다.

"싫어. 여기는 아람사스라고. 어느 도장에서 무예를 배워서 너를 쓰러뜨리겠어. 네 시중 같은 건 안 받는다고!"

그러자 뽀용뽀용의 눈에 눈물이 가득 고였다.

무척 슬퍼하는 표정으로, 양손으로 얼굴을 덮으며 그 자리에 주저앉고 말았다.

그대로 주변에 다 들으라는 듯이 큰소리로 엉엉 울었다.

"치킨 자식이 제 시중이 필요 없대요! 너무해! 저는 성심을 다했는데! 치킨 자식이 못나게 될 때까지 성심을 다했는데!"

못나게 될 때까지 성심을 다했다니 대체 뭔 소리야?

그보다, 아침부터 소란을 부려서 그런지 이웃들이 이쪽을 보고 있다.

"야, 야. 그만두라고. 남들이 보잖아."

뽀용뽀용은 계속 울었다.

"제가 치킨 자식의 시중을 제일 잘 들 수 있다고요. 그런데, 다른 사람에게 시중을 맡기다니…… 너무하잖아요!"

샤논도 허둥댔다.

"그냥 시중하라고 하는 게 낫지 않아? 조금 불쌍하잖아."

뽀용뽀용이 나를 힐끔힐끔 바라봤다.

7대가 경악했다.

『이, 이 녀석 가짜로 울고 있잖아. 이런 것까지 가능한 건가?』

쓸데없이 고성능인 오토마톤을 만든 고대인에게 울화통이 터졌다.

주변에서는 이웃 주민들이 모여서 우리를 보며 소곤소곤 대화를 나누고 있었다.

"어제 제대로 시중들었으니까 용서해주세요. 버리지 말아주세요~."

때때로 힐끔힐끔 나를 보는 뿌용뿌용에게 불평하고 싶어졌지만, 그런 짓을 하면 주변의 평판이 안 좋아진다.

"아, 알았어. 아무튼 울지 말라고."

그러자 뿌용뿌용은 갑자기 웃으면서 일어났다.

샤논이 놀랐다.

"잠깐만! 너 가짜로 울었지!"

뿌용뿌용은 진심으로 아무래도 좋다는 듯이 샤논을 내려다봤다.

"그래서 어쨌다고요? 저는 치킨 자식만 인정해준다면 그걸로 충분해요. 다른 건 이용할 존재에 지나지 않죠."

주변 주민들이 멀어지는 것을 본 나는 안도하면서 어깨에 힘을 뺐다.

"너 최악이야."

뿌용뿌용이 말했다.

"저, 치킨 자식을 위해서라면 어떤 거라도 할 수 있어요."

나는 아침부터 불쾌한 땀을 흘렸다.

손으로 닭자, 노웸이 집에서 나와 우리에게 말을 걸었다.

"라이엘 님. 샤논. 아침 식사 준비가 됐어요."

우리는 대답을 하며 집 안으로 돌아갔다.

뽀용뽀용은 기뻐 보인다.

"내일부터는 바로 수행 시작이네요. 이 뽀용뽀용, 전력으로 지도해드리겠어요."

그런 뽀용뽀용에게 샤논이 부탁했다.

"나도 가르쳐줘! 나도 가르쳐달라고!"

뽀용뽀용은 히죽히죽 웃으며 대답했다.

"으음~ 어쩌죠. 저는~ 치킨 자식의 전속 메이드인데요~."

"상관없잖아. 가르쳐줘!"

샤논이 뽀용뽀용의 옷을 잡아당겼다.

뽀용뽀용은 싫어한다기보다는, 그런 샤논을 놀리면서 즐거워하는 것처럼 보였다.

나는 한숨을 내쉬었다.

"⋯⋯설마 뽀용뽀용한테 질 줄은 몰랐어."

5대가 나를 위로했다.

『반대로 잘된 일이야. 뽀용뽀용에게 이것저것 배워두면 아람사스에서 어딘가에 다닐 필요도 없을 테니까.』

확실히 절약은 되지만, 나로서는 아람사스에서 여러 가지를 배워 모험가로서 일류가 되고 싶었다.

"아직 여기에 와서 아무것도 배우지 않았는데."

모처럼 아람사스에 왔는데, 나는 어디서 뭘 배워야 좋을까? 그런 생각을 하면서 아침 식사가 놓인 테이블 앞에 앉았다.

—세탁물을 말리던 소피아는 한숨을 내쉬었다.

최근에는 미궁에서의 실패를 질질 끌고 있었지만, 지금은 주로 아리아와의 싸움 때문에 고민 중이다.

'또 저질러 버렸네요.'

지금까지였다면 나중에 사과할 수도 있었지만, 최근에는 도무지 사과할 수가 없었다.

그런 자신이 싫어서 더욱 짜증이 솟구치고 만다.

'어떻게든 해야 하는데……'

소피아도 나름대로 이 상황을 개선하고 싶다는 마음은 있었다.

그러나 소피아는 기본적으로 누군가에게 지시를 받으며 지내온 수동적인 인간이다.

라이엘에게 은혜를 갚고자 모험가 동료가 되었던 것도, 친가에서 「은혜는 갚아야 하는 것」이라고 배웠기에 그런 것에 지나지 않는다.

들은 것은 성실하게 하는 타입이지만, 스스로 뭔가 행동을 일으키는 일은 적다.

여러모로 고민해봤지만, 스스로는 결론을 내지 못했다.

고개를 들자 여름 햇살이 비쳐서 눈을 가늘게 떴다.

'오늘도 세탁물이 잘 마르겠네요.'

그런 소피아에게 목소리가 들려왔다.

뜰에 나와 있는 건 라이엘과 뽀용뽀용, 그리고 샤논이다.

라이엘과 샤논 앞에 선 뽀용뽀용이 천천히 양손을 들고는, 다음으로 한발을 들었다. 마치 양손을 날개처럼 들고, 날갯짓을 하는 동작이다.

"그럼, 먼저 오의부터 가르쳐드리죠. 이것이 제 무술의 오의! 이름하여 사나운 참새의 자세입니다!"

소피아는 뽀용뽀용의 자세를 보고 충격을 받았다. 좋은 의미가 아니라, 나쁜 의미로.

'어? 차, 참새인가요? 왠지 약해 보이는데. 게다가 이상한 자세네요. 빈틈투성이고.'

굳이 따지자면 놀고 있는 것처럼 보이고, 무예의 자세라기에는 장난치고 있다고밖에 말할 수 없는 자세다.

만약 자신의 눈앞에서 저런 자세를 잡는 적이 나온다면…… 얼빠진 놈이라고밖에 생각하지 않았을 거다. 소피아는 그런 생각을 했다.

그런 뽀용뽀용을 보고 라이엘과 샤논도 의심 어린 시선을 보냈다.

"너, 그거 분명 거짓말이지. 오의가 아니잖아."

"이 기둥서방 자식은 속여도 나는 속일 수 없어."

뽀용뽀용은 자세를 풀고는 못 말리겠다는 듯이 고개를 내저었다.

"이러니까 초심자는 안 된다니까요. 확실히 이 자세에는 아무 의미도 없어요."

소피아가 놀랐다.

'아무 의미도 없다?! 그러면 안 되는 것 아닌가요.'

벽 뒤에 숨어서 세 사람의 모습을 엿보자, 뽀용뽀용은 진지한 표정으로 허리에 손을 댔다.

"이 자세에는 효과도 의미도 없어요. 하지만, 앞으로 두 분이 제 기술을 배우고, 자기 것으로 삼았을 때…… 극의(極意)인 오의를 완성시키는 거죠. 그건 치킨 자식과 샤논만의 오의, 유일무이한 오의가 돼요."

뭔가 그럴싸한 소리를 하고 있지만, 소피아는 이렇게 생각했다.

'그걸 오의라고 할 수 있을까요? 애초에 해답은 없으니까 스스로 찾으라고 말하는 것 같은데요?'

소피아는 의심했지만, 라이엘과 샤논은 자세를 잡았다.

"사나운 참새의 자세!"

"자세!"

희희낙락 오의라는 자세를 흉내 냈다.

상상 이상으로 얼빠지게 보였다.

그러나 라이엘은 무척 기뻐했다.

"굉장한데. 다시 말해서, 전부 익히면 나만의 오의가 완성되는 건가!"

샤논은 라이엘에게 대항심을 불태웠다.

"내가 먼저 완성할 거니까! 그리고 내 오의로 너덜너덜하게 만들어주겠어!"

라이엘과 샤논은 말없이 마주 보고는 그대로 사나운 참새의 자세를 잡았다.

그걸 본 뽀용뽀용은 팔짱을 끼고 고개를 끄덕였지만…… 소피아에게는 웃음을 참는 것처럼 보였다.

"네, 네에. 그럼요. 푸크큽…… 참새는 작고 연약하지만, 언젠가 두 사람이 모든 것을 배운다면 매든, 독수리든 될 수 있다는 의미가 있거든요. 그건 그런 오의랍니다. 푸후훕!"

이미 뿜고 있다.

배를 잡고 라이엘과 샤논을 보고 있었다.

"난 독수리보단 그리폰이 좋은데."

"어, 으음…… 그럼 난 드래곤이야!"

"너 치사하잖아! 드래곤은 새가 아니라고."

"나는 그런 사소한 일에 집착하지 않거든. 넌 거기서 손가락이나 물고 지켜보라고."

사소한 일로 싸우기 시작한 두 사람이 서로 뺨을 잡아당겼다.

그 모습은, 작은 어린이들의 싸움 같았다.

'두 사람은 사이가 좋네요.'

라이엘이 연하인 샤논과 진심으로 싸우는 것처럼 보인다.

평소와 다른 생기 넘치는 모습을 보니, 소피아는 가슴이 욱신 아파왔다.

'역시 제가 있으면 민폐인 걸까요? 도움도 되지 못하고, 민폐만 끼치고…….'

두 사람의 모습을 보면서 시무룩해진 소피아에게 뒤에서 목소리가 들려왔다.

"어머, 엿보기라니 별로 좋은 취미는 아니네."

돌아본 소피아는, 웃고 있는 미란다를 보고는 황급히 변명했다.

"아뇨, 저기! 이, 이건 엿보고 있던 게 아니라……."

미란다도 세 사람에게 시선을 보냈다.

라이엘과 샤논이 싸우고, 뽀용뽀용이 그 모습을 웃으며 바라보는 광경.

"즐거워 보이네. 전부터 생각하던 건데, 라이엘은 정신 연령이 낮은 걸지도. 샤논도 낮긴 하지만, 둘이 비슷한 정도일까?"

미란다의 그런 감상에 소피아가 반론했다.

"그, 그렇지 않아요! 라이엘 공은 강하시고…… 때때로 미덥지 못하기는 하지만, 그래도 할 때는 하는 분이고……."

미란다는 머리를 쓸어 올렸다.

"흐응, 그래? 그래도 나는 지금의 라이엘도 좋아해. 왜냐하면 귀여우니까."

소피아는 이해할 수 없다는 표정을 지었다.

"귀, 귀엽다?"

미란다는 단언했다.

"귀엽잖아. 저렇게 샤논과 진지하게 싸우고, 세상 물정도 몰라서 빈틈이 많고 실패도 하는 거. 나는 좋아해."

미란다의 단언에 소피아는 시무룩해졌다.

자신은 그런 말은 할 수 없다.

"……역시, 라이엘 공에게는 노웸 씨나 미란다 씨 같은 분이 어울릴지도 모르겠네요."

그러자 미란다는 바보 취급하듯이 웃었다.

"그래서? 동정해주길 바라는 거야? 그럼 유감이네. 나는 노웸처럼 위로해주지는 않을 거고, 스스로 노력하지 않는 사람에게 져줄 생각도 없어. 나는 사랑받기 위해 노력할 거야. 하지만, 당신은 그것조차 하지 않지. 애매한 태도만 보이면서 좋아한다고도 하지 않잖아. ……비교하지 말아줘."

소피아는 고개를 수그리며 양손을 움켜쥐었다.

"저, 저는, 은혜를 갚고 싶어서……."

은혜를 갚기 위해 여기에 있을 뿐이지, 라이엘을 좋아하느냐 마느냐는 상관없다. 상관없다고 말하려 하자, 미란다는 시선을 날카롭게 바꿨다.

"그건 당신 사정이지. 라이엘은 신경 쓰지 않고, 딱히 여기서 나가더라도 쫓지는 않을걸. 그냥 적당한 이유를 붙여서 달라붙어 있는 것처럼 보이는데."

소피아는 쇼크를 받았다.

아니, 알고는 있었다. 항상 자신은 도움이 되지 않는다고 생각해왔다.

'저는 역시…… 나가는 편이…….'

그런 소피아의 생각을 간파했는지, 미란다는 말을 이었다.

"자기가 빠져나가면 더는 민폐를 끼치지 않을 거라는 표정이네. 당신, 지금이 어떤 상황인지 알고 있어? 우리는 지하 미궁 30층을 목표로 삼고 있어. 그걸 위해 질도 양도 부족한 파티로 어떻게 공략할지 고민하고 있다고. 그럴 때 연애 사정으로 파티를 나가려 하다니 무책임하네."

책망을 듣자 소피아는 고개를 들었다.

표정에는 분노가 엿보였다.

"그럼…… 그럼 어쩌라는 건가요! 나가주길 바란다면 그렇게 말하면 되잖아요!"

거칠게 외친 소피아 앞에서, 미란다는 표정을 바꾸지 않고 말했다.

"스스로 생각해. 당신, 내가 명령하면 뭐든지 기꺼이 실행할 거야? 편한 인생이네."

미란다의 말에 반박하지 못한 소피아는 그 자리에서 이를 악물 수밖에 없었다—.

사나운 참새의 자세를 잡던 나는 소피아 씨의 목소리가 듣고 돌아봤다.

"뭐, 뭐지?"

아무래도 불길한 예감이 든다. 옆에서 마찬가지로 자세를 잡던 샤논이 부들부들 떨면서 나를 바라봤다.

평소에 몸을 움직이지 않는 샤논에게 이 자세는 꽤 힘든가 보다.

"이, 이제 한계인 것 같네. 당장 바닥에 발을 대라고. 무리하지 않아도 돼."

우리는 지금 한 발로 서 있다. 샤논이 두 발로 서면 지는 거라는 룰을 멋대로 들먹였기 때문이다.

"나는 괜찮은데. 그보다, 너는 이제 자세를 못 잡고 있잖아."

휘청거리면서 가까스로 한 발로 서 있을 뿐인 샤논에게 뽀용뽀용이 문제점을 지적했다.

"단순한 운동 부족이네요. 좋아요. 이 뽀용뽀용이 단련해드리죠."

나는 샤논보다 소피아 씨가 마음에 걸렸다.

"그보다는 소피아 씨가 신경 쓰이는데? 아까 목소리가 들렸고."

그러자 6대가 긴박한 목소리로 내게 충고했다.

『라이엘…… 너는 아무것도 듣지 못했다. 알겠지? 아무것도 듣지 못한 거다.』

무슨 소리지?

들렸고, 뭔가 문제가 있다면 물어봐야 할 텐데.

"미란다 씨의 목소리도 들렸으니까, 두 사람에게 무슨 일 있었나?"

샤논은 한 발로 서서 부들부들 떨면서도 내게서 시선을 돌렸다.

"……나, 아무 말도 안 들렸어."

"아니, 들렸잖아."

자세를 풀고 소피아 씨에게 가보려고 하자, 5대가 나를 설득하려는 듯이 말했다.

『라이엘. 네가 그 자리에 가서 눈치 빠르게 말할 수 있다면 막지 않아. 하지만 지금의 네게는 무리야. 얌전히 있어.』

방치?

그럴 수는 없다.

"잠깐 어떤지 보고 올게."

그러자 뽀용뽀용이 내 진행 방향에 끼어들었다.

"치킨 자식. 아직 특훈 중이거든요. 도망치다니 부끄러운 줄 아세요."

"너도 부끄러움을 좀 아는 게 좋아. 왜 방해하는 건데?"

내가 바닥에 발을 댔기에, 샤논도 자세를 풀었다.

"이, 이겼다. 기둥서방 자식한테 이겼어!"

"기둥서방이라고 하지 마! 그보다, 왜 보내주지 않는 건데."

뽀용뽀용은 잠시 고민했다.

"……치킨 자식에게는 아직 그런 건 좀 이르다 싶어서요."

납득할 수 없는 대답을 하는 뽀용뽀용에게 화가 났는데, 문이 닫히는 소리가 들렸다. 아무래도 두 사람은 집 안으로 돌아간 모양이다.

"뭐야 그게."

내가 불만을 입에 올리려 하자, 역대 당주들이 나를 타일렀다. 평소보다 다정한 게 꺼림칙하다.

『그런 건 아직 모르는 게 나아.』

『현실이란 때로는 잔혹하다니까.』

『뭐, 저희는 추한 싸움을 봐왔으니까요.』

『너는 아직 괜찮아. 아직 몰라도 된다고.』

『언젠가는 알 때가 오겠지만, 지금은 네가 견딜 수 있을지⋯⋯.』

『라이엘. 너도 언젠가 알게 될 거다. 하지만 그때까지. 그때까지는⋯⋯!』

⋯⋯영문을 모르겠다.

"자, 수행을 재개하죠! 치킨 자식은 하드 코스를, 샤논은 이지 코스를 준비하겠어요!"

특훈, 수행⋯⋯ 명칭을 계속 바꾸는 게 수상하지만, 뽀용뽀용의 지도는 이치에는 맞는 부분이 있다.

참새의 자세 같은 건 눈이 번쩍 뜨이는 기분이었다.

나만의 오의⋯⋯ 왠지 두근두근한데.

제57화 하렘 파티

　—샤논은 전신 근육통에 걸렸다.

　아무튼 아프다. 아픔을 참으며 향한 곳은 언니인 미란다의 방이었다.

　문을 노크하고 대답이 들려와서 안으로 들어가자, 미란다는 책상 위에서 뭔가 도구를 늘어놓고 있었다.

　부서진 마석. 점토 같은 물건. 작은 그릇에 나눠 담은 분말 형태의 무언가.

　샤논은 그것들이 마력적인 것을 함유하고 있다는 건 알아냈지만, 자세한 사항은 몰랐다.

　그걸 신중하게 조합하던 미란다는 샤논에게는 다소 쌀쌀맞았다.

　"뭔데? 지금은 방해하지 말아 줬으면 좋겠는데."

　차갑다.

　예전에는 무슨 일이든 웃으며 대응해주던 미란다가, 요즘에는 다르다.

　그러나 묻지 않을 수 없었다.

　"언니는 다른 여자들을 내쫓고 싶은 건가요?"

　아침에 소피아와 말다툼을 하던 걸 샤논도 들었다.

　라이엘은 눈치채지 못한 것 같았지만, 뽀용뽀용은 눈치챘을 거다.

미란다는 작업을 이어갔다.

"쫓아내고 싶다? 아니야. 나는 확실하게 해두고 싶을 뿐."

미란다는 샤논을 보지 않은 채 말을 이었다.

"확실히 해두지 않는 태도가 싫어. 어영부영 관계를 유지하려 하는 노웸이 싫기도 하지만, 딱히 좋아하지도 않는다면 라이엘의 곁에 있지 않아도 되잖아."

듣고 보면 확실히 동의하고 싶어지지만, 샤논은 그 눈으로 사람의 감정을 읽을 수 있다.

그래서 언니의 짜증이나 복잡한 심경을 읽었지만, 단순하지 않았기 때문에 무슨 생각을 하는지 모르겠다.

"그, 그래도, 아리아나 소피아도 라이엘의 곁에 있으면 기뻐 보이는데……."

본인들은 태도로 보이지 않고 있을 뿐, 라이엘의 곁에 있으려 한다는 건 샤논도 이해할 수 있었다.

그만큼, 미란다가 다른 여성을 쫓아내고 라이엘을 손에 넣으려 하는 게 조금 불쌍해 보였다.

"라이엘은 눈치가 빠르지 않고, 그걸 알면서도 마음을 말로 전하지 않는 그 아이들에게 문제가 있는 거야. 노웸에게 길들여진 장기말이지."

샤논은 고개를 갸웃했다.

'언니가 차가워. 역시 그 기둥서방 자식 때문이야.'

"언니. 전처럼 다정한 언니로 돌아와 주세요. 지금의 언니는…… 무서워요."

샤논이 본심을 입에 담자, 작업하던 손을 멈춘 미란다가 돌아봤다.

그 얼굴은 웃고 있었다.

작업대에는 불빛이 켜져 있었기에, 역광이 된 미란다의 얼굴에 그림자가 깃들자 웃는 얼굴이 무섭게 보였다.

샤논은 한발 물러서고 말았다.

"무슨 착각을 하는 거니? 샤논. 나는 다정하다고."

미란다의 웃음이, 샤논에게는 동의를 강요하는 위압으로 보였다.

샤논은 입을 다물고는 몇 번이고 고개를 끄덕였다.

내심으로는 다정하다고 생각하지 않았음에도―.

아람사스에 있는 도서관.

그곳에 얼굴을 내민 나는 도서관의 주인이라 불릴 정도로 단골손님인 클라라 씨를 찾아왔다.

그녀는 아람사스에서 활동하는 모험가다.

서포트 전문이지만, 우리보다도 아람사스에 대해 잘 안다.

도서관 휴게실에서 작은 원형 테이블에 앉아 차를 마시며 서로를 마주 봤다.

"결론부터 말하자면, 마궁을 간단히 공략할 방법 같은 건 없어요."

나는 어깨를 떨궜다.

"그렇, 겠죠."

상담하고자 한 내용은, 물론 『아츠 사용을 금지한 상태로 지하 미궁 공략』이다.

클라라 씨는 사정을 알고 있기에 상담 상대로는 잘 어울렸다.

최근, 동료들의 사이가 삐걱거리는 게 싫어서 밖으로 나도는 일이 많아졌다. 그래서 지인인 클라라 씨에게 상담하는 일이 늘어나 버렸다.

클라라 씨는 안경을 벗어서 렌즈를 닦았다.

"라이엘 씨 일행은 모험가로서 우수해요. 하지만 지하 30층을 공략하기에는 부족한 것들이 너무 많아요. 편리한 아츠를 금지한 상태여서는, 무리하면 목숨을 잃을 수도 있겠죠."

"그렇게 심각한가요? 아니, 확실히 아츠에 너무 의존해오고 있긴 했지만요."

역대 당주들이 아츠 사용을 금지한 이유는 혹시 우리가 실력 부족이라고 생각했기 때문일까?

이유를 물어도 가르쳐주지 않는다.

이번 과제는 지금까지와 달리 끼어들지 않고 있는지라 반대로 불안했다.

뭔가 숨기고 있다.

"저는 우수하다고 생각해요. 하지만, 기본적으로 파티 멤버가 부족해요. 미란다 씨가 가입하긴 했지만, 그것만으로 공략할 수 있을 것 같지는 않아요. 그보다, 라이엘 씨는 다른 분들의 실력을 어떻게 평가하시나요?"

클라라 씨의 말을 듣고, 조금 쑥스러웠지만 동료들에 대해 말했다.

"……노웸은 마법사로서 우수해요. 아마 저보다 굉장하겠죠. 아리아 씨는 강하고, 아츠도 쓸 수 있고요. 소피아 씨도 대형 도끼를 휘두르는 게 강하죠. 미란다 씨는…… 뭐랄까, 만능?"

내 평가에 아연실색한 건 2대였다.

『너, 그게 평가냐? 아무리 그래도 그래서는 그 아이들이 불쌍하잖냐.』

4대도 어이없어했다.

『좀 더 봐야 할 것들이 있을 텐데요.』

클라라 씨도 나를 보며 살짝 한숨을 내쉬었다.

"좀 더 동료들을 올바르게 평가해야 해요. 당신은 리더니까요. 당신의 명령으로 사람이 죽기도 해요. 뭐, 라이엘 씨의 경우에는 본인이 목숨을 잃은 뒤에 동료들이 전멸하는 코스겠네요."

그런 일은 없을 거라 말하려 했는데, 클라라 씨가 안경을 썼다.

"라이엘 씨는 기본적으로 혼자서 뭐든 해낼 수 있어요. 해내고 말아요. 그렇기에, 라이엘 씨가 없으면 파티는 기능하지 않게 돼요."

묵묵히 기다리자, 클라라 씨는 내게 올바른 공략법을 가르쳐주었다.

"지하 30층까지라면, 50명 정도의 인원을 모으면 공략 가능할 거예요."

"50명? 그렇게 많이요?"

"딱히 전원을 파티 멤버에 넣지 않아도 괜찮아요. 없다면 다른 곳에서 빌리는 것이 아람사스의 방식이니까요. 게다가, 프리 모험가도 있고요."

단, 그들을 믿을 수 있을지는 모른다며 클라라 씨가 주의를 주었다.

"여러분이 연계를 갈고닦고, 인원을 늘린다면…… 뭐, 2년에서 3년 정도 지나면 분명 공략할 수 있을 거예요."

클라라 씨의 견해로는 3년이나 걸리나 보다.

"3, 3년이나 걸리나요?"

"그게 보통이에요. 라이엘 씨는 다른 일반적인 모험가들과는 감각이 이상하다는 걸 깨달아주세요."

그러나 나는 여기서 이런 생각이 들고 말았다.

지금조차도 이렇게 삐걱거리는 파티에 이 이상 동료를 넣어도 될까?

더더욱 이상한 분위기가 되지 않을까?

가능하면 이 이상의 트러블은 부르고 싶지 않다.

"이, 인원을 좀 더 줄일 수는 없을까요? 그게, 소수정예로 임하고 싶다거나 할까……."

내 제안에 클라라 씨는 조금 고민하더니 대답했다.

"그것도 하나의 해답이기는 하죠. 인원을 줄인다는 건 그만큼 동료들에게 부담이 간다는 걸 의미하니까, 각자 단련해서…… 30명 정도까지는 좁힐 수 있겠네요."

그래도 30명은 필요한가 보다.

"5년 정도 지나면, 여러분 모두 일류 모험가가 되실 거예요."

"5, 5년이나요?!"

그렇게 시간을 들이면, 다리온에서 알게 된 론도 씨 일행에게 추월당할 것 같다.

아무리 그래도 5년은······.

"서포트 쪽이라면, 도구를 쓰면 다소 줄어들겠네요. 데미언 교수님처럼 인형을 사용하면 다를지도 모르지만요."

"그거다!"

나는 의자에서 일어나 클라라 씨의 손을 잡았다.

클라라 씨의 왼팔은 의수. 금속으로 된 딱딱한 손과 조그만 손을 내 손으로 감싸 쥐듯이 잡았다.

"고마워요, 클라라 씨!"

클라라 씨의 안경이 조금 움직이면서, 표정이 적은 얼굴이 조금 붉어졌다.

"어, 저기······ 고, 곤란해요. 놔주세요."

클라라 씨가 손을 떼어놓으려 해서, 나도 손을 떼어놓았다.

학원에 있는 교수 지인, 【데미언 발레】라면 뭔가 좋은 방법을 알고 있을지도 모른다.

"또 상담하러 올게요!"

클라라 씨는 내게 주의를 줬다.

"도, 도서관에서는 조용히 해주세요!"

가녀린, 그리고 무척 허둥대는 목소리. 클라라 씨가 힘껏

외친 목소리는 그렇게 크지 않았다.

나는 웃으며 손을 흔들고는 그대로 도서관을 나왔다.

아람사스에 있는 학원.

그 뒤편에서 학원 칠걸이라 불리는 문제아 데미언 발레.

그는 『인형사』라는 이명을 가졌고, 그 이름대로 자작한 인형을 동시에 몇 대씩 다룰 수 있다.

한 명이서 몇 인분씩 일할 수 있는 그 마법은 확실히 편리하지만, 데미언이 아니라면 다룰 수가 없었다.

일반인은 다소 재능이 있더라도 인형을 조작하기 어려워서, 한 대를 움직이는 것도 집중력이 필요하다고 한다.

그런 마법을 예전에 배웠던 나는 그걸 응용할 수 없을까 상담하기 위해 데미언 교수의 연구실을 찾았지만…….

"히끅. 히끅…… 나, 나는. 나는 절대 포기하지 않아."

연구실에 들어가자, 작은 체구의 데미언이 무릎을 부여잡고 의자 위에 앉아있었다.

훌쩍훌쩍 울고 있는 데미언은 예전보다 깔끔해졌다. 단지, 삐죽삐죽 튀어나온 머리는 그대로이고, 안경을 벗어서 소매로 눈가를 닦고 있었다.

그런 데미언의 대각선 뒤편에서는, 뽀용뽀용과 같은 오토마톤이 바른 자세로 서 있었다.

기분 탓인지 얼굴에 윤기가 자르르해 보인다.

뽀용뽀용과 다른 점은 흑발의 살랑살랑한 롱 헤어인 데다,

차분한 감색 메이드복을 입고 있다는 것이다.

이쪽이 정통파 메이드라는 느낌이라, 우리 뽀용뽀용보다도 자기주장이 적었다.

"이, 이봐. 괜찮아?"

내가 걱정돼서 말을 걸자, 오토마톤이 입을 열었다.

그리고는 무척 멋진 미소로 즉답했다.

"괜찮아요. 주인님은 조금 어른이 되셨을 뿐이라서요."

보옥 안의 6대가 데미언을 동정하는 목소리로 중얼거렸다.

『……마침내 먹혀버렸나.』

데미언이 내 얼굴을 바라봤다.

울다가 부어서 빨개진 눈이 안쓰럽다.

"괜찮아. 나는 아직 괜찮아. 얕보고 있었어. 고대인은 나 이상의 변태야. 하지만, 나는 절대 지지 않아!"

뭔가 결의한 모양이라서, 일단 응원했다.

"그렇구나. 잘 모르겠지만 힘내. 그나저나, 실은 상담할 게 있는데."

내가 상담을 꺼내자, 오토마톤이 움직여서 차를 준비해줬다.

예전에는 발 디딜 곳도 없던 연구실이 깔끔하게 정리 정돈되어 있다. 분명 오토마톤이 청소해준 것이리라.

여기에 몇 번씩 다니는 사이, 나는 데미언과 꽤 친해져 있었다.

나는 준비해준 차를 마시면서 인원 부족을 해소하기 위해 인형을 쓸 수 없을지 상담해봤다.

데미언의 대답은—.

"응. 무리구만."

—즉시 부정이었다.

"굳이 그렇게 확실히 말할 것까지는……."

"그게 아니야. 나는 희귀한 특기를 가졌거든. 동시에 많은 일을 생각할 수 있어. 그냥 같이 생각하는 게 아니라, 딱 잘라내서 따로따로 사고할 수 있는 거지. 다른 사람은 이해할 수 없겠지만."

7대가 중얼거렸다.

『……병렬사고로군. 나도 이야기는 들었다만, 실존할 줄은 몰랐다.』

내가 7대가 중얼거린 말을 입에 올렸다.

"병렬사고?"

"오, 잘 아는군. 바로 그거야. 평범하게 있는 자신. 연구에 대해 생각하는 자신. 인형을 조작하는 자신 등등. 지금도 연구에 대한 것을 다수 동시에 생각하고 있어. 그러니까 알아. 인형 조작에는 집중력이 필요해. 익숙해지면야 두 대는 동시에 움직일 수 있을지도 모르지만. 라이엘 네가 인형을 조작한다면, 그동안 너는 아무것도 할 수 없어. 의미가 없지."

나는 어깨를 떨궜다.

"안 되나."

"익숙해지면 한 대를 움직이면서 자기도 움직일 수 있기는 하겠지만…… 사람을 늘리는 게 빠를걸."

간단히 말하지만, 동료를 파티에 넣는 건 힘들다.

그 사람의 능력도 필요하지만, 성격이 중요하니까.

게다가…… 가능하면 여성은 사양하고 싶다.

노웸은 솔선해서 여성을 파티에 넣으려 하지만, 나는 좀 더 평범한 파티가 좋다.

"늘리고 싶지만, 인품이나 능력 같은 게 필요하니까."

데미언은 이해할 수 없는 모양이었다.

"목적 달성을 위해서는 협력도 필요하다고 생각하는데. 그렇게까지 아츠 사용을 제한하는 이유를 모르겠군."

"그게, 향후를 위해서랄까……."

내 의지로 사용을 금지한 게 아니다. 그렇기에 대답이 애매해지고 말았다.

"그럼 더더욱 그렇지. 향후를 고려하면 지금까지 해왔던 효율적인 방법을 갈고닦으면 돼. 네가 있으면 기능하는 집단을 준비하고, 움직이지 못하게 되면 방어에 들어가면 될 뿐이잖아. 그게 더 효율이 좋을 거라고."

그 말을 듣고 생각했다.

확실히, 그쪽이 효율은 좋다.

내가 움직이지 못하게 될 경우, 그 자리에서 수비에 전념하면 된다. 죽었을 경우에는…… 그만두자. 그런 건 별로 고려하고 싶지 않다.

"아츠를 사용했을 때와 사용하지 않았을 때의 운영 방법이 너무 달라서 곤란할 거야."

데미언의 말에 팔짱을 끼고 고민하자, 오토마톤이 말을 걸었다.

"잠시 괜찮을까요?"

"네?"

"너무 오래 머무르셔서 저와 주인님의 시간을 빼앗기를 원하지 않으니까, 간단히 말씀드리죠."

3대가 조금 기겁했다.

『어, 뭐야? 설마 얘는 손님한테 방해되니까 돌아가라고 하는 거야? 메이드인데 말이 돼?』

나도 오토마톤의 언동에 놀랐지만, 상대는 그대로 말을 이었다.

"이런 건 그 고물딱지에게 상담하는 게 좋지 않을까요? 그것도 일단은 오토마톤이니, 나름대로 해결책을 제안할 수 있을 거예요."

언동에 뽀용뽀용을 향한 가시가 돋쳐있는 건 못 들었다고 치고 넘어가겠지만, 상담한다고 해서 어떻게 될까?

"뽀용뽀용에게 상담이라……."

그러자 오토마톤이 웃음을 터뜨렸다.

"뽀, 뽀용뽀용? 그 녀석에게는 정말 어울리는 이름이네요. 네이밍 센스가 없는 부분이 무척 근사해요."

……나, 이 녀석에게 바보 취급당하고 있나?

그렇게 생각하고 있는데, 음료수에 설탕을 마구 쏟아붓던 데미언이 고개를 들었다.

"뽀용뽀용? 그 오토마톤에게 이름을 붙였어? 흠…… 기억하기 쉬워서 좋은 이름이군."

4대가 놀랐다.

『여기에도 네이밍 센스가 없는 자가 있었군요.』

나는 설마 데미언과 의견이 맞을 줄은 몰랐다.

"그렇지! 괜찮지!"

"나도 이 녀석에게 이름을 붙일까……."

그러자, 조금 전까지 나를 바보 취급하던 오토마톤이 데미언을 돌아보며 미소 지었다.

"근사한 네이밍 센스네요. 주인님은 제게 어떤 이름을 지어주실 건가요?"

데미언은 잠시 고민한 뒤.

"간단한 게 좋으니까 【릴리】로 하자."

오토마톤 【릴리】가 데미언이 보지 않는 위치에서 승리의 포즈를 취했다. 그나마 뽀용뽀용보다는 낫다고 생각하는 걸지도 모른다.

5대가 살짝 웃었다.

『확실히 간단하지만, 뽀용뽀용보다는 낫네.』

……그렇게 심한가?

나는 어깨를 떨구고 외벽 인근에 있는 모험가 길드를 향해 걷고 있었다.

뭔가 묘안이 있는 건 아니다.

이대로 삐걱거리는 파티를 데리고 지하 30층까지 가야 한다고 생각하니 우울해진다.

"할 수 있을 줄 알았는데."

사람을 대신해서 인형을 사용해 노동력을 확보.

그러면 멤버가 적어도 문제없을 거다. 그렇게 생각했는데…….

"역시 착실하게 사람을 모집할 수밖에— 어라?"

견실한 방법으로 사람을 늘리고, 정공법으로 공략할 수밖에 없다고 생각해서 길드로 발을 옮겼다. 이유는 인재를 찾기 위해서.

이렇게 때때로 얼굴을 내밀면서 신경 쓰이는 사람을 찾고 있다.

그런 와중에 낯선, 눈길을 끄는 집단을 발견했다.

입구에 붙은 종이에 흥미를 보이는 것 같아서, 그들의 이야기에 귀를 기울였다.

그 집단이 신기하다고 생각한 이유는 하나.

"드디어 아람사스에 도착했나. 여기서 새로운 동료를 찾을 수 있으면 좋겠는데."

금발 벽안의 미청년이 모험가 길드 앞에서 동료들과 웃으며 대화를 나누고 있었다.

동료는 세 명. 그중 한 명은 전위에 서는 기사풍 여성이었다.

"그러게. 나는 좀 더 앞에 나올 수 있는 녀석이 좋겠어."

다른 한 명은, 노출이 적은 복장에 지팡이를 든 여성.

모자를 쓰고, 손으로 입을 누르고 있다. 길드는 외벽 근처에 있어서 짐마차나 사람 출입이 많아서 먼지가 심하니까.

"그보다도 빨리 이동하자. 여기 엄청 더러워."

작은 체구를 가진 활기찬 소녀는 허리춤에 단검을 매고 움직이기 편한 차림을 하고 있다.

"그러게. 오늘은 느긋하게 쉬고 싶어. 【나르쿠스】와 같은 방이라도 좋아."

나르쿠스라 불린 청년이 웃으며 대답했다.

"남자랑 같은 방이 좋다고 말하면 착각한다고. 자, 그럼. 빨리 이동해서 여관을 찾을까. 가능하면 빨리 지하 미궁에 도전할 수 있으면 좋겠는데."

아직 아람사스에 익숙하지 않은 것 같은 그들은 나와 똑같았다.

그렇다. 저 사람— 나르쿠스 씨는 하렘 파티의 리더였던 것이다.

"……차, 찾았다."

나르쿠스 씨를 중심으로 미소가 끊이지 않는 하렘 파티.

이것이야말로 내가 원하던 이상적인 파티다.

삐걱거리지 않는다. 제일이 좋다고 공언하지도 않는다.

모두 사이좋고, 분위기도 좋은 파티가 저곳에 있었다.

4대는 미묘한 반응을 보이면서도 나와 달리 파티를 하나로 모으고 있는 나르쿠스 씨를 좋게 평가했다.

『라이엘과 같은 하렘 파티 같습니다만, 아무래도 그는 라이엘보다는 성공한 모양이군요. 뭔가 비결이 있는 걸까요?』

6대가 부러운 듯이 바라봤다.

『나도 비결이 있다면 알고 싶었는데. 살아있을 때 알았다면 실패 같은 건 하지 않았을 것을…….』

6대는 결혼에 실패한 사람이다.

아버지인 5대가 본처 말고도 측실을 네 명이나 데리고 있던 걸 보며 자랐다. 그게 귀족에게는 평범한 일이라고 생각했었던 모양이다.

그래서 결혼 후에 바로 다른 두 명의 여성을 저택으로 불러들였고…… 부인이 격노했다.

거기서부터는 매우 험난한 부부 생활을 보냈다고 한다.

……자업자득이다.

나는 4대와 6대가 감탄한 나르쿠스 씨에게 다가갔다.

"저.. 저기!"

나르쿠스 씨는 초대면인 나를 조금 경계하면서도 다정하게 대응해주었다.

"무슨 볼일이라도?"

다른 세 여성은 노골적으로 경계하고 있었다. 나르쿠스 씨를 지키려는 배치에 서 있어서, 이 파티의 높은 숙련도를 엿볼 수 있었다.

"제게— 하렘 파티를 운영하는 요령을 가르쳐주세요!"

내가 고개를 숙이자, 나르쿠스 씨는 뭐라 말하기가 힘들다는 반응을 보였다.

"……엥?"

모험가 길드에서 조금 떨어진 식당.

나는 나르쿠스 씨 파티와 함께 식사를 했다.

돈은 내가 내겠다고 했지만, 나르쿠스 씨는 「그래서는 미안하니까」라면서 서로 낼 것을 제안했다.

그런 다정한 사람에게, 나는 파티의 현재 상황을 조금 애매하게 이야기했다.

보옥 안의 역대 당주들이 자세하게 이야기해서는 안 된다면서 주의를 줬기 때문이다.

나르쿠스 씨는 테이블에 팔꿈치를 대고, 입 앞에서 깍지를 끼며 내 이야기를 들었다.

"이야기는 알아들었어. 즉, 너희도 남성 한 명에 다른 이들은 여성 멤버라는 거지? 그럼, 이야기는 간단해."

"정말인가요!"

지금까지 여성 문제를 상담할 수 있는 사람은 없었다. 역대 당주들도 이런 이야기에는 도움이 안 된다. 그러나 나르쿠스 씨는 아니었다. 무척 믿음직한 사람이다.

잘 보니 빛나는 것처럼 보인다.

"나와 같은 하렘 파티라. 뭐, 남자 한 명에 다른 이들이 여성이라서 착각하기 쉽긴 하지만, 나는 그녀들과 그런 관계가 아니야."

"그런가요?"

내가 여성 세 명에게 시선을 보내자, 세 사람 모두 수긍하기는 했지만 왠지 납득할 수 없다는 복잡한 심경이 표정에 드러나 있었다.

"남자에게는 어느 의미로 이상적인 파티니까 질투도 심하거든. 네가 말을 걸어줬을 때는 솔직히 기쁘기도 했어."

이렇게 다정한 사람도 고생하고 있었다고 생각하니 눈물이 날 것 같다.

나도 그 고생을 이해하니까.

"내 해결책이 유효할지는 모르겠지만, 이것만큼은 말할 수 있어. 모두를 소중히 대한다. 이게 내 리더로서의 신념이야."

나르쿠스 씨가 진지한 표정을 지었다.

"리더에게 필요한 것은 그 자리마다 변해. 강함, 결단력, 파티의 운용 능력 등등, 사람에 따라 대답은 많겠지만, 나는 모두를 소중히 하고 싶어. 소중한 동료니까."

그렇게 말하며 웃는 나르쿠스 씨는 정말로 반짝반짝 빛나 보였다.

동료인 세 여성도 그런 나르쿠스 씨를 보며 뺨을 붉혔다.

5대가 중얼중얼 불평했다.

『연애 감정이 없다는 건가? 세 명이나 이 녀석한테 반했잖아. 애초에 전원을 소중히 한다니 무슨 소리야. 그게 가능했다면 고생 같은 건 안 한다고.』

잠시 입 좀 다물어줬으면 좋겠다.

"저기, 모두를 소중히 하려면 어떻게 해야 하죠?"

나르쿠스 씨가 잠시 고민했다.

"일단 모두와 사이좋게 지내고 싶다고 선언하는 건 어떨까? 라이엘은 너무 조심스럽다고 생각해. 괜찮아, 분명 모두 알아 줄 거야."

"모두와 사이좋게……."

아람사스에 막 도착했을 무렵.

그 시절로 돌아갈 수 있다면, 해볼 가치는 있을 것 같다.

"나르쿠스 씨. 감사합니다! 저, 해볼게요!"

감사의 말을 남기고 그 자리에서 나왔다.

나르쿠스 씨 일행은 내게 손을 흔들며 배웅해줬다.

그래. 먼저 내 마음을 모두에게 전하면 되는 거다.

모두와 사이좋게 지내고 싶다.

왠지 성공할 것 같았다.

의욕으로 넘쳐나는 나와는 달리, 보옥 안은 무척 조용했다.

평소에도 이렇게 조용하면 좋을 텐데.

귀가한 나는 저녁 식사 후에 이야기를 하기로 했다.

그러나, 식후에 차가 나온 테이블에는 평소보다 무거운 분위기가 감돌았다.

숨쉬기도 버겁다고 착각할 정도여서, 식은땀이 뺨을 타고 내려왔다.

손등으로 닦고 침을 삼켰다.

보옥 안이 소란스러웠다.

『뭐, 뭐야 이 분위기.』

『라이엘이 중요한 이야기가 있다고 해서 그렇지.』

『도, 도망치고 싶군요.』

『나날이 분위기가 안 좋아지네. 그래도 누구보다는 낫나?』

『누구라니 누구 말씀이신지?』

『당연히 6대인 게 뻔하잖습니까.』

나는 음료수로 입 안을 축였다.

괜찮아. 나르쿠스 씨 일행은 잘해나가고 있잖아.

나도 할 수 있을…… 거다!

"나는…… 모두와 사이좋게 지내고 싶어. 나만이 아니라, 각자가 사이좋은 파티를 지향하고 싶어. 지금 상태는 좋지 않다고 생각해!"

말했다! 말했다고!

전원의 얼굴로 시선을 보냈다.

노웸은 곤란한 듯이 웃었다.

"라이엘 님이 바라신다면, 저는 이의가 없어요. 게다가, 다들 사이좋게 지내고 싶으니까요."

역시 노웸은 다정하다. 알고 있었다.

단지, 앞으로는 내게 여성을 권유하는 건 그만둬줬으면 좋겠다.

다음으로 아리아 씨의 얼굴을 봤다.

테이블에 팔꿈치를 올리고 차를 마시고 있다.

내 얼굴을 보지 않는다.

"……딱히, 평소 그대로인데."

아니잖아! 전에는 좀 더 웃음이 많고, 식사도 즐겁게 했잖아!

도움을 요구하기 위해 소피아 씨에게 시선을 보내자, 눈을 감고는 등을 쫙 펴고 있었다. 손은 무릎 위에 올라가 있다.

"애초에 원인이 누구인지는 확실할 텐데요."

눈을 뜬 소피아 씨가 시선을 돌린 곳에는, 미란다 씨의 모습이 있었다. 미란다 씨가 히죽히죽 웃으며 반론했다.

"으응~? 잘 모르겠는데. 그도 그럴 게, 나는 라이엘을 좋아한다. 그러니까 라이엘의 제일이 되고 싶다. 이렇게 말했을 뿐이야. 어디가 문제라는 거야?"

2대의 목소리가 조금 떨렸다.

『저기 있는, 그야말로 강적이라는 느낌을 뿜어내는 아이가 우리 일족 관계자라는 게 믿기지가 않는데. 우리는 원래 개척촌의 소영주 가문이라고.』

2대 시절의 월트 가는 아직 작은 영지를 가진 시골뜨기 영주에 지나지 않았다.

확실히, 그런 가문과 자작가의 아가씨가 친척이 되는 건 상상도 가지 않겠지.

아리아 씨가 자리에서 일어났다.

"어, 잠깐만요."

내가 손을 뻗었지만, 아리아 씨는 묵묵히 방에서 나가려 했다.

미란다 씨가 팔짱을 끼며 도발했다.

"도망치다니 아리아답지 않네. 좀 더 기운을 내주지 않으면 부딪힐 의욕이 안 나잖아."

아리아 씨가 돌아보며 말했다.

"딱히 뭐…… 마음대로 하면 되잖아. 나랑은 상관없고. 나는…… 라이엘에게 팔린 거나 다름없으니까."

아리아 씨가 동료가 된 경위는 조금 특수하다.

최종적으로 내가 아리아 씨를 구입했다는 형태가 되었지만, 나는 그런 걸 신경 쓴 적이 없다.

"아니, 전 그 일은 별로 신경 쓰지 않는데요."

아리아 씨가 손을 강하게 쥐었다.

"그럼 됐잖아. 난 이제 방으로 돌아갈 테니까."

소피아 씨도 일어섰다.

"저도 돌아갈게요. 제 쪽에서 분위기를 나쁘게 할 생각은 없었어요. 분위기를 나쁘게 만들고 있다면 사과할게요."

떠나가는 소피아 씨를 바라보던 내 시야에 뽀용뽀용이 들어왔다.

"치킨 자식. 저한테는 의견을 원하지 않는 건가요? 이 뽀용뽀용, 치킨 자식이 봐주기만 한다면 더욱 심각한 아수라장도 준비할 수 있거든요. 자, 좀 더 저를 봐주세요!"

"너는 닥치고 있어!"

자기주장이 강한 오토마톤을 입 다물게 만들고, 테이블에 남은 멤버를 바라봤다.

샤논은 내가 곤란해하는 걸 보며 입을 누르고 있었다.

이 녀석…… 웃고 있잖아.

이 녀석의 눈을 보니 내게 「바~보」라고 말하고 있다는 걸 알 수 있었다.

노웸이 일어섰다.

"라이엘 님. 그럼 저는 뒷정리를 하러 갈게요."

오늘의 뒷정리 당번은 노웸인 모양이다.

"어, 아…… 응."

그러자 미란다 씨가 내게 말을 걸어왔다.

"라이엘은 모두와 사이좋게 지내고 싶어?"

"물론이죠! 좀 더 즐겁고, 사이좋게 지내는 게 분명—."

웃고 있는 미란다 씨가 내 마음을 들여다봤다.

"저기, 그건 누구의 의견? 왠지 라이엘이 생각한 것처럼 보이지 않는데? 지금까지는 보고만 있을 뿐이었으면서, 갑자기 어쩐 일일까? 혹시…… 누군가의 어드바이스?"

나르쿠스 씨에게 상담했던 게 들켰나? 나는 식은땀이 멈추지 않았다.

보옥 안이 소란스러워졌다.

4대가 움찔거렸다.

『서, 설마 이 아이도 마안을 가지고 있을 가능성이!』

사람의 마음을 읽고, 조종하는 마안.

미란다 씨가 그런 걸 가지고 있다면 큰일이 벌어질 거다.

7대가 강하게 부정했다.

『아니, 아무리 그래도 그건…… 하, 하지만 고모님의 증손녀라면 어쩌면…….』

나는 시선을 이리저리 틀다가—.

"······잠깐 화장실."

그 자리에서 도망쳤다.

—노웸은 부엌에서 접시를 씻고 있었다.

라이엘이 도망치자, 뽀용뽀용이 뒤를 쫓아갔다.

샤논은 하품을 해서 미란다가 방으로 데려갔다.

혼자 정리하던 와중, 부엌에 미란다가 찾아왔다.

"어머, 이제 거의 다 정리했네. 오늘은 나도 당번이니까 도
와줄게."

한 지붕 아래에서 생활하고 있기 때문에 이런 작업은 당번
제였다.

노웸은 무표정했다.

사이드 포니테일을 등 뒤로 넘기고, 접시를 씻는 손을 멈추
지 않았다.

"······어째서, 이런 무의미한 일을?"

미란다는 다 씻은 접시를 천으로 닦았다.

"무의미할까? 나는 그 두 사람이 최소한 같은 자리에 서주
기를 바랄 뿐이야. 자기 마음을 겉으로 드러내지 않고, 라이
엘이 알아채주기만 바라는 태도가 마음에 들지 않을 뿐. 그러
지 못 한다면 방해하지 말아줬으면 좋겠고. 난 진심으로 라이
엘의 제일이 되고 싶으니까."

미란다가 라이엘의 제일이 되고 싶다고 공언한 이후부터 파
티는 크게 흔들렸다.

노웸은 그 생각을 부정할 생각은 없었다.

"마음은 이해해요. 하지만 일부러 입에 담은 의미를 모르겠네요. 라이엘 님에게 폐도 끼치고 있고요."

미란다는 미소를 지으며 식기를 닦고 진열했다.

"나는, 내가 최선이라고 생각하는 방법으로 라이엘에게 공헌하고 싶은 거야. 당신도 마찬가지잖아?"

노웸이 긍정했다.

"네, 맞아요. 그래도, 당신과 비교당하고 싶지는 않아요."

정리가 끝날 때까지, 두 사람이 다시 입을 여는 일은 없었다―.

제58화 라이엘의 해답

—아리아는 전단지를 한 손에 들고 아람사스의 좁은 골목을 걷고 있었다.

손에는 「무예 지도, 경험자도 대환영!」이라고 적힌 전단지를 쥐고 있다.

'경험자를 환영한다는 건, 그만큼 자신이 있다는 거겠지. 게다가, 실은 겉으로 드러나지 않은 굉장한 사람이 가르쳐줄지도 모르고.'

자신에게 무엇이 부족한지 고민한 결과, 아리아는 단순한 힘이 부족하다는 결론에 이르렀다.

좀 더 강했다면 라이엘이 의지해줄 것 같았으니까.

자신이 할 수 있는 걸 고민하다가, 그럼 좀 더 강해지고자 마음먹었다.

그래서 도착한 도장 같은 건물.

아리아는 무척 조용하다고 생각하면서, 열린 창문으로 안쪽의 상태를 들여다봤다.

남자 냄새. 땀 냄새. 그리고 더러운 도장에는 아침부터 마셨는지 술 냄새도 가득했다. 더러운 모습의 도장주가 문하생으로 보이는 남자들과 잠들어 있고, 몸은 도저히 단련한 것처럼 보이지 않았다.

'……뭐야 이게?'

아리아가 도장에 들어가는 걸 주저하자, 뒤에서 찾아온 풍채 좋은 여성이 문을 열고 큰소리로 외쳤다.

"이 밥벌레들! 이제 그만 술집 외상을 내줘야겠어!"

손에 빗자루를 든 여성에게 두들겨 맞아서 일어난 도장주는 황급히 사과했다.

"조금만 더 기다려줘. 문하생이 늘면 반드시 갚을게! 갚을 테니까!"

명백하게 여성이 더 강해 보여서, 도장주는 꾸벅꾸벅 사과했다.

'……술. 그리고 빚.'

아리아는 술에 찌든 생활을 보내다가 빚까지 지고 말았던 아버지를 떠올렸다. 그래서 도장의 인상은 처음부터 최악이었다.

'아냐. 여긴 아니야. 다른 곳으로 하자.'

아무리 그래도 여긴 아니라고 생각한 아리아는 천천히 도장에서 나왔다.

그렇게 왔던 길을 돌아가자, 손에 전단지를 들고 위치를 찾으며 돌아다니는 소피아와 얼굴이 마주쳤다.

"……아."

두 사람의 목소리가 겹쳤고, 한동안 말없이 시간이 흘렀다.

그러다가 서로가 가진 전단지가 똑같다는 것을 깨닫고, 시선을 돌리며 말했다.

"아리아도 왔던 건가요. 저도 도장을 찾고 있어서."

"으, 응. 그래도 거긴 안 가는 게 좋아. 진지한 곳이 아니고, 빚도 지고 있는 것 같으니까."

아리아가 그렇게 말하자, 소피아는 전단지를 봤다.

"그, 그랬었나요. 뭐, 가기 전에 알게 되어 다행이네요."

두 사람은 거북한 분위기 속에서 함께 골목에서 큰길로 향했다.

"아람사스의 도장은 심각한 곳도 있구나."

아리아가 한숨을 내쉬자, 소피아도 뭐라 말 못 할 표정을 지었다.

"이쪽에 온 지 꽤 지났는데, 역시 잘 알지 못하니까 어디가 좋은지 모르겠네요."

아람사스에 온 지 한 달 정도밖에 지나지 않았다.

이후에도 신경 쓰이는 도장을 돌아봤지만, 수확은 없었다.

그대로 집으로 돌아가자, 뜰에서 라이엘과 샤논이 진지하게 뭔가를 하고 있었다. 그러나 그 모습은 놀고 있는 것처럼 보였다.

공 위에 널빤지를 올리고, 그 위에 올라타서 여러 포즈를 잡고 있다.

뽀용뽀용이 리듬 있게 손뼉을 치며 차례차례 포즈를 바꾸라고 지시를 내렸다.

"자, 그럼 참새의 자세!"

뽀용뽀용도 마찬가지로 공 위에 널빤지를 올리고 서 있어서, 언뜻 보기에는 마치 예능인 흉내처럼 비쳤다.

뽀용뽀용의 지시로 자세를 바꾼 라이엘에게는 여유가 보였지만, 그 옆에 있던 샤논은 부들부들 떨고 있었다. 허리도 엉거주춤해서, 라이엘과 같은 자세를 잡지 못하고 있다.

그 모습을 옆에서 본 라이엘이 승리를 뽐내는 표정을 지었다.

"그렇게 떨다니 왜 그래? 어라? 혹시 그런 것도 못 해? 나한테는 절대로 지지 않겠다고 해놓고서는."

아리아나 소피아에게는 보여주지 않는 웃음이다.

저런 웃음을 보여주기를 바라는 건 아니지만, 아리아는 라이엘이 활기찬 것처럼 보였다.

샤논이 반박했다.

"이 녀석 열 받아! 언니한테 일러줄 거야!"

"미란다 씨에게 이르는 건 비겁하잖아. 그럼 나는 네가 과자를 몰래 먹었다는 걸 보고해볼까."

"……잠깐만. 냉정하게 이야기해보자. 역시 언니한테 이르는 건 좋지 않은 것 같아."

아리아에게는 마치 사이좋은 남매처럼 보였다.

'……즐거워 보이네.'

단지, 아리아에게는 재미있지 않았다.

샤논은 몰라도, 라이엘은 놀고 있는 걸로밖에 보이지 않기 때문이다.

자신들은 고민하고 있는지라, 지금의 라이엘을 보니 울컥하게 되었다.

그러다 소피아가 기척을 깨닫고 돌아봤다.

"……아."

아리아도 돌아보자, 그곳에는 미란다가 있었다.

어딘가로 외출하려는 모양이었는데, 오늘은 학원에 갈 예정은 없었을 거다.

미란다는 두 사람을 보고는 시선을 라이엘 쪽으로 돌렸다.

"어머, 오늘도 열심히 하는 것 같네. 샤논, 어제는 근육통으로 움직이지 못했으니까."

미란다가 웃자, 아리아가 불평을 늘어놓았다.

"제대로 벌지도 못하는데 느긋하네. 좀 더 할 일이 있을 것 같은데."

모처럼 아람사스에 왔는데, 라이엘은 도장이나 학원 같은 곳을 다닐 기색이 없다. 이래서는 이 도시에 온 의미가 없다. 라이엘을 향한 불만이 입에서 새어 나왔다.

그러나 미란다는 샤논과 말다툼을 벌이면서도 뽀용뽀용에게 배우려 하는 라이엘을 보며 미소를 지었다.

"즐거워 보이네. 게다가 무의미한 일도 아닌 것 같으니까 상관없잖아. 불평만 늘어놓는 아리아보다는 성실하게 보이는데."

"뭐, 뭐어?!"

미란다의 말을 들은 소피아는 복잡한 표정으로 바라볼 뿐이었다.

아리아가 강한 말투로 반박했다.

"어디가! 최근에는 실패만 이어져서 제대로 벌지도 못하고 있는데, 덤으로 자기는 저런 거나 하면서 놀고 있을 뿐이잖아!"

아리아가 저 모습을 놀고 있는 것처럼 바라보는 이유는, 자기도 할 수 있으니까.

아리아도 즐겁게 해나갈 자신이 있었다.

그만큼 우수한 증거이기도 하지만, 미란다는 바보 취급하듯이 살짝 웃었다.

"뭐, 뭔데."

"자기는 아무것도 하지 않으면서 타인을 바보 취급할 뿐이라니 편해서 좋겠다고 생각했을 뿐이야."

아리아는 자신의 안에서 피가 뜨거워지는 것을 느꼈다. 심장 고동이 빨라지고, 미란다의 말에 분노를 느꼈다.

"사실을 말했을 뿐이잖아. 우리는 여기에 배우러 온 거야."

소피아가 아리아를 제지했다.

"진정해요. 아리아. 미란다 씨도 도발하지 말아 주세요."

미란다는 진지한 표정을 지었다.

그리고, 두 사람이 들고 있는 전단지를 보더니 차가운 표정으로 변했다.

"⋯⋯솔직히 말해서, 너희 두 사람은 의욕이 없어."

미란다는 덤덤하게 두 사람의 못난 점을 거론했다.

"지시해주지 않으면 움직이지 않잖아. 노력하는 라이엘에게 불만을 품고 있는 것 같은데, 그게 어쨌다고? 자신들은 조금도 잘못하지 않은 것 같아? 배우러 왔으면 마음대로 배우면 되잖아. 돈도 주고 있으니, 이유만 있다면 노웸도 불평하지는 않을 거야. 게다가, 의욕이 있다면 나에게 상담할 수도 있지 않을까? 어디 괜찮은 곳 모르냐고 한마디 물어보면 그걸로 해결되는 이야기잖아? 아니면…… 클라라라든가?"

아리아도 소피아도 아람사스는 잘 모른다.

그렇기에 어딘가 배우기 좋은 곳이 없는지 물어본다면, 그 상대는 미란다나 클라라가 된다.

그러나 아리아도 소피아도 클라라와는 거의 대화를 나눠본 적이 없다.

소피아는 반론하지 못했다.

"그, 그건 그렇지만……."

아리아는 분노에 몸을 맡겨서 강한 말투로 부딪혔다.

"라이엘은 리더야. 지시를 내려줘도 되잖아. 우리에게 어떻게 움직였으면 좋겠다고 말해줘도 되잖아! 게다가, 네가 우리의 관계를 부숴버렸잖아! 지금까지 잘해왔는데!"

아리아는 불만을 모두 부딪치고는 어깨를 헐떡이며 수그렸다.

그러나 바로, 눈앞의 미란다가 어떤 표정인가 싶어서 고개를 들었다.

그러자, 딱히 감정이 느껴지지 않는 미란다의 얼굴이 있었다.

"……그래, 그래서? 그럼 말해줄게. 내 한마디에 망가질 정도의 관계라면, 결국 그 정도에 지나지 않는다는 뜻이니까 신경 쓸 것 없어."

그렇게 말한 미란다는 집 안으로 들어갔다.

아리아도 소피아도 미란다의 말에 아연실색했다.

아연실색했고, 낙담했고…… 그리고 폭발했다.

"웃기지 마! 뭐야 저 여자!"

"이, 이제 참을 수 없어요! 아리아, 바로 도서관으로 가보죠. 클라라 씨는 거기에 있다고 들었어요!"

들을 만큼 듣게 되자, 침울해하기는커녕 떨쳐 일어난 것이다. 두 사람 모두 저런 말까지 듣고 가만히 있을 타입은 아니었다. 아리아가 목소리를 높였다.

"뭐가 제일이 되고 싶다는 거야. 뭐가 그 정도의 관계야! 가만히 두고 보니까…… 다시 보게 해주겠어!"

소피아도 인내심의 한계가 왔는지 집 앞에서 외쳤다.

"저 속 시커면 여자가아아아!"

바보 취급을 당하고도 물러설 성격은 아니었기에, 그 길로 도서관으로 가버렸다―.

두 사람이 큰소리를 내며 달려갔다.

"……무슨 일 있었나요?"

뽀용뽀용은 피곤해서 움직이지 못하게 된 샤논을 집 안으로 옮겼고, 뜰에는 나 혼자밖에 없었다.

보옥 안에서 들려온 것은, 곤혹스러워하는 4대의 목소리였다.

『이웃에 민폐인데 말이죠.』

2대는 아리아 씨와 소피아 씨에게 엄했다.

『저 바보 2인조는 변함없군.』

최근 삐걱거리고 있었기에, 드디어 불만이 폭발했나 신경이 쓰이던 차에 뽀용뽀용이 뜰로 나왔다. 웃으며 손을 흔들고 있다.

"치킨 자식. 당신의 뽀용뽀용이 명령을 완벽하게 수행하고

돌아왔답니다. 그러니까 제게 어울리는 이름을 정해주시죠."

샤논을 집으로 바래다주고 돌아왔을 뿐인데, 완벽이고 불완전이고 그런 게 있나?

그 녀석은 그냥 바닥에 내버려 두면 될 것 같은데.

그보다도, 이렇게 내가 지은 이름을 바꿔주길 바라면서 노골적으로 어필해오는 게 열 받는다.

"뽀용뽀용이라고 부르는 게 그렇게 싫어?"

"아무리 그래도 이건 좀 아닌 것 같다고 생각하는데요."

진지한 표정으로 대답하는 오토마톤 앞에서, 나는 입을 다물고 말았다.

그나저나, 이 녀석에게 어울리는 이름은 뭘까?

고민해봤지만 떠오르지 않아서, 나는 한숨을 내쉬었다.

"조만간 생각해볼게. 그건 그렇고, 실은 고민거리가 있어."

"오, 마침내 치킨 자식이 저에게 상담을? 부탁하셔도 되는데요. 뭐니 뭐니 해도, 이 뽀용뽀용은 최고의 오토마톤이니까요. 어딘가의 고물딱지와는 다르다고요."

"고물딱지? 아, 릴리 씨 말인가."

"……릴리 씨? 치킨 자식의 말로 짐작해보면, 설마 데미언 교수에게 붙어있는 고물딱지 말인가요? 서, 설마 그런 좋은 이름을 받았다니 거짓말이죠? 거짓말이라고 말해주세요. 치킨 자식!"

자기보다 좋아 보이는 이름을 받은 게 분한지, 뽀용뽀용은 진심으로 분통해하고 있었다.

3대가 웃었다.

『뭐, 누구든 그렇게 생각하겠지.』

7대도 마찬가지였다.

『아무리 그래도 이번에는 지지해줄 수 없다. 라이엘.』

내 네이밍 센스가 심각하다고 지적을 받은 건 그렇다 치고, 이야기를 되돌렸다.

"실은 파티의 규모로 고민하고 있어."

"어, 어라? 제 호소를 무시하는 건가요? 치킨 자식."

아연실색하는 뽀용뽀용에게 나는 자신의 고민을 전했다.

아람사스 지하 미궁, 그 지하 30층을 공략하는 데 필요한 시간, 인원을 좀 더 적게 줄일 수 없을까 하는 것.

일반적으로는 인원을 30명에서 50명 확보해서 몇 년의 시간을 들여야 한다.

그렇게까지 시간을 들일 수 없다는 본심도 섞어서 이야기하자 뽀용뽀용은 흠흠, 고개를 몇 번 끄덕였다. 트윈테일이 살랑살랑 움직인다.

"요컨대 시간을 들일 수 없다는 거네요."

"아무리 그래도 5년이나 되면 버겁지. 3년이라도 길다고 생각하니까."

그러자 뽀용뽀용은 가슴을 폈다.

"맡겨주시죠! 치킨 자식! 이 뽀용뽀용이 그런 문제를 전부 해결해드리겠어요."

"뭔가 비책이 있어?"

"네! 이 뽀용뽀용을 데려가시면 전부 해결된다고요."

자신만만하게 자기를 데려가라고 하는 오토마톤을 본 나는 어이없어서 한숨을 내쉬었다.

"너한테 상담한 내가 바보였어."

"어라? 어째서 그렇게 침울해하는 거죠? 치킨 자식, 저는 솔직히 말해서 전력도 되고, 작정하면 불면불휴로 활동할 수 있어요. 다른 암컷들처럼 식사도 배설도 필요 없다고요."

배설 같은 소리를 당당하게 하지 말았으면 좋겠다. 아니, 실제로 중요한 문제이긴 하지만, 이 녀석 한 명을 데려간다고 뭐가 어떻게 되기나 할까?

"너 말이야. 전력만 필요한 게 아니라고. 서포트해줄 인원도 필요하단 말이야. 너 혼자 싸우고, 짐도 들고, 다른 사람들을 돌봐줄 수도 있어?"

뿌용뿌용은 고개를 갸웃했다.

"무리는 아닌데요. 단지, 솔직히 말해서 치킨 자식을 시중드는 거라면 기꺼이 하겠지만, 다른 사람은 조금……."

6대가 흥미를 보였다.

『이 오토마톤, 못 한다고는 말하지 않는군. 정말로 할 수 있는 건가?』

사람이라면 도저히 불가능하다.

하지만, 어쩌면 정말로 이 녀석은 할 수 있을지도 모른다.

그러나.

역대 당주들이 무슨 생각으로 내게 아츠를 쓰지 말라고 했는지 모르는 상황이다. 만약 이대로 뿌용뿌용의 힘에 의지하

면, 이번에는 뽀용뽀용에게 의지하지 말고 공략하라고 말할
수도 있다.

역대 당주들이 무슨 생각인지 알 수 없다는 게 문제다.

"가능하면, 모두 함께 노력해봐야 한달까…… 실력을 올리
고 싶어. 네게 말해봤자 못 알아들을지도 모르겠지만."

나는 이 녀석에게 무슨 소리를 하는 걸까.

이 녀석이 문제를 해결할 수 있을지도 모른다고 생각하는
내가 한심하다.

그러자, 뽀용뽀용이 고개를 갸웃했다.

"조금 의아한 생각이 드는데요……."

"뭐가?"

"치킨 자식의 목적은, 지하 30층을 공략하는 거죠?"

"맞아."

"조건은 아츠 사용 금지뿐인가요?"

"아니. 은색 무기라는 대검도 안 돼. 아, 너는 모르나."

뽀용뽀용은 나를 뚫어져라 바라봤다. 턱에 손을 대면서 내
진의를 살피는 낌새다.

"대체 뭐가 목적인 건가요? 모두의 실력을 끌어올리고 싶은 건
지, 아니면 인원을 늘리고 싶은 건지…… 하고 싶은 게 뭔지 명확
하지가 않아요. 어쨌든 공략만 하면 된다는 것도 아닌 것 같고."

그건 나도 묻고 싶다.

그러나 보옥 안의 역대 당주들은 이야기를 얼버무리기만 할
뿐이다.

뭐가 해답인지 모르겠다.

그러자, 뽀용뽀용은—.

"그럼 이야기를 정리해보자면, 치킨 자식 이외의 도움 안 되는 것들을 움직이면서 필요 인원은 최소한. 그 상태로 지하 30층을 공략하자는 걸로 이해하면 되겠죠?"

"⋯⋯그렇지. 그렇게 이해하면 돼."

내 말에 뽀용뽀용이 끄덕였다.

"그럼 맡겨주시죠. 이 뽀용뽀용이 치킨 자식의 기대에 부응해 보이겠어요. 저를 데려가시면 미궁이라는 웃기는 곳에서도 식사는 풀 코스로 준비해드릴 수 있다고요."

나는 진심으로 대답하고 말았다.

"미궁 안에서 풀 코스는 좀⋯⋯."

뜰에서 꽤 오래 이야기하고 말아서, 집 쪽을 보니 창고 문이 열려있었다.

그곳에는 예전에 내가 회수해온 보스의 껍데기, 뽀용뽀용의 말로는 『장갑차』가 보였다.

"⋯⋯이봐. 저건 움직일 수 있어?"

내 질문에 뽀용뽀용은 어깨를 으쓱했다.

"뭐, 부품은 있으니까 수리는 가능해요. 단지, 연료를 입수할 수가 없네요."

뽀용뽀용의 말로는, 연료라는 건 지하 깊은 곳에서 채굴하는 기름이라고 한다. 그걸 정제해서 사용한다는데, 간단히 말하자면 반세임 왕국에서는 유통되지 않는다.

그렇기에 장갑차를 움직이지 못하는 모양이다.

"저 아이를 움직일 수 있으면 좀 더 편해질 것 같은데요."

나는 장갑차를 봤다.

두꺼운 장갑. 커다란 바퀴는 타이어라고 하는 모양이다.

짐받이도 넓어서 물건을 실을 수 있을 것 같다.

아니, 움직인다면 사람을 태울 수도—.

"⋯⋯⋯⋯이봐. 우리가 이걸 움직일 수 있을까?"

뽀용뽀용은 즉답했다.

"제가 짐수레처럼 끌든가, 아니면 밀면 움직이겠죠. 치킨 자식
이 상상하는 것처럼 단독으로 움직이는 건 어렵지 않을까요."

장갑차로 다가갔다.

손으로 만져본 나는, 예전 데미언에게 배웠던 골렘을 움직
이는 마법을 시험해봤다.

"뭘 하시려는 거죠?"

"아니, 움직이는 게 딱히 인형이 아니라도 괜찮을 것 같아서."

데미언이 만든 골렘이라는 마법은, 데미언이 인형을 움직이
고 있는지라 인형만 움직일 수 있는 거라고 여겨왔다.

그러나, 움직일 수 있다면 좀 더 심플한 형태의 물건이 좋지
않을까?

그렇게 생각한 나는 시험해보기로 했다.

장갑차가 어두운 창고 안에서 엷게 빛을 발하자, 나는 조금
떨어진 앞쪽으로 움직이라고 명령을 내렸다.

"움직여⋯⋯ 움직여!"

뽀용뽀용은 내 옆에서 그 모습을 지켜봤다.

처음에는 움직이지 않았지만, 이윽고 타이어가 미묘하게 움직였다.

단지…… 앞으로가 아니라 뒤로 물러났다.

"어, 어라?"

앞으로 나아가라고 명령을 내렸는데, 생각처럼 움직이지 않았다.

뽀용뽀용이 감탄하며 손뼉을 쳤다.

"놀라운데요. 마법이란 편리하네요. 하지만 이래서는 제대로 움직이지 못하겠는데요."

움직이기는 했다.

연습하면 능숙하게 움직일 수 있을지도 모른다.

나는 뽀용뽀용에게 이야기를 들었다.

"더 작은 거라면 어때? 말 그대로 짐수레 같은 거라면 움직일 수 없을까?"

뽀용뽀용은 반대하지 않았지만, 문제점도 거론했다.

"움직이기야 하겠지만, 미궁이라는 곳에서 활약할 만큼 마력(馬力)이 나올지 모르겠네요. 게다가 사람이나 물건을 태우고 움직이려면 상당한 에너지가 필요하겠죠."

데미언은 태연한 표정으로 네 대를 동시에 움직였다.

나는 네 대를 동시에 움직이는 건 불가능할지도 모르지만, 한 대로 좁히면 가능하겠지.

"좋아. 바로 구입해서 시험해보자."

뽀용뽀용이 웃었다.

"그럼 함께할게요. 치킨 자식과 장을 보러 가는 거네요. 장을 보러!"

이 녀석. 나와 짐수레를 사러 가는 게 기쁜 건가?

여자아이라면 좀 더 옷이나 액세서리를 기뻐하지 않나……

아니, 이 녀석은 기계였지.

외모가 사람하고 너무 비슷해서 깜빡 잊어버릴 것 같다.

"그럼 가자. 자, 어떤 짐수레를 구입해야 할까."

"재료만 있으면 만들 수 있는데요."

이 녀석, 짐수레라면 만들 수 있다고 말해버렸다.

"……너 대체 뭐야? 보통 메이드나 고용인은 그 정도까지 못 하잖아?"

"무슨 말씀이시죠?"

뽀용뽀용은 이마에 손을 대고는, 내게 어이가 없다는 동작을 보였다.

"메이드인 자로서, 그 정도쯤이야 당연히 할 수 있죠."

"그, 그런가?"

너무나도 자신만만하게 대답해서 혹시 만들지 못하는 내가 이상한 게 아닐까? 하는 착각이 들 것 같았다.

"아, 아니. 역시 이상하잖아."

"이상하지 않아요. 뽀용뽀용은 메이드형 오토마톤의 최고 걸작! 그 정도도 못해서 어쩔 건가요."

나는 깊이 생각하는 걸 그만뒀다. 어울려주고 있으면 골치가 아파진다.

"이제 됐어. 아무튼 한 대 구입하러 가자."

나는 뿌용뿌용과 둘이서 짐수레를 사러 가기로 했다.

—소피아는 아리아와 함께 도서관에 왔다.

목표였던 클라라를 찾아 돌아다닌 두 사람은 발견하자마자 바로 이야기를 시작했다.

클라라는 두 사람을 교대로 보면서 조금 당혹스럽게 입을 열었다.

"아람사스에서 무예를 배우기 위해서는 어디가 좋을까, 인가요."

소피아가 수긍했다.

"이곳에 익숙지 않은지라, 유명한 도장이나 학원 등등, 어디가 좋은지 짐작도 가지 않아요. 클라라 씨가 아시는 곳을 여쭙고 싶은데요."

아리아도 기합이 들어갔다.

"우리는 지금보다 더욱 강해지고 싶어."

씩씩대는 소피아와 아리아 두 사람 앞에서 클라라는 곤혹스러워했지만, 두 사람을 진정시키고자 말을 이었다. 그것은 어딘가 설득하는 말투였다.

"두 분의 마음은 알겠어요. 그런 거라면 제가 아는 도장을 소개해드릴 수도 있어요."

소피아가 감사를 표했다.

"가, 감사합니다!"

"하지만, 두 분에게 확인하고 싶은 게 있어요. 지금 두 분의 목적은 뭔가요?"

두 사람은 얼굴을 마주 보며 고개를 갸웃했다. 아리아가 다시 클라라를 봤다.

"그러니까, 강해지기 위해서……."

"강해지고 싶은 마음을 부정하는 건 아니에요. 단지, 제가 보기에는 이미 두 분은 강해요. 아람사스에서도 단순한 힘만 따지면 이미 상위권이라고 생각해요."

그 말을 듣고 아리아와 소피아 모두 쑥스러워했다.

단순한 두 사람이었다.

그런 두 사람에게 클라라는 다정한 말투로 설명했다.

"제가 들은 건 여러분─ 라이엘 씨 일행의 목표에요. 제가 일을 함께할 때는 지하 30층 공략이었다고 생각하거든요?"

변경은 되었나요? 클라라가 그렇게 묻자, 소피아는 고개를 내저었다.

클라라는 말을 이었다.

"그렇다면, 그걸 위해 행동하셔야겠죠. 지하 30층까지 출현하는 마물의 종류, 함정의 종류, 그리고 효과적으로 싸우는 법. 두 분이 이걸 배운다면 확실히 지금 상태로도 지하 10층까지는 원만하게 공략할 수 있을 거예요."

소피아가 놀랐다.

"저, 저기. 고작 그것뿐인가요? 저희는 언젠가 아람사스를 나올 거라서, 좀 더 어디서나 통하는 강함을 추구하고자 하는데요?"

힘을 길러서 아무튼 마물을 쓸어버리고 앞으로 나가고 싶다. 그런 소피아의 발언에 아리아도 납득하며 수긍했다.

"그러는 게 편하지."

클라라는 두 사람의 대답에 어딘가 먼 곳을 바라보다가, 고개를 내저으며 두 사람에게 시선을 돌렸다.

"파티에서 정보 수집과 공유는 중요해요. 라이엘 씨만 대처법을 알고 있어도, 두 분이 그걸 모른다면 효율 좋게 움직일 수 없어요."

평소에는 사전에 정보를 좀 더 수집하고 나서 미궁에 도전한다고 설명해준 클라라는 살며시 중얼거렸다.

"라이엘 씨도 고생하시네요."

소피아는 고민해봤지만, 어떻게 해야 좋을지 알 수 없었다.

"저, 저기, 그럼 어떻게 해야 좋을까요?"

클라라는 메모장을 꺼내서 지하 미궁에 대해 가르쳐주는 학원을 소개했다.

"여기로 가면 여러모로 가르쳐줄 거예요. 초심자용 지식이나 매너부터, 중급자용인 것들까지 이것저것 공부할 수 있어요."

아리아는 공부라는 말을 듣고 조금 표정을 찌그렸다.

책상머리에 앉는 건 거북하다는 심경이 얼굴에 드러난다.

"여기서 얼마나 애써야 하는데?"

클라라는 두 사람의 질문에 정중하게 대답했다.

"두 시간 정도의 수업을 열 번 받으면 되겠죠. 마물의 종류와 대처법도 가르쳐줘요. 예약제니까 예정을 확인해주세요. 수강료는 초급이—."

금액을 들은 소피아는 생각했다.

'비, 비싸네요.'

놀랄 만큼 거금인 건 아니지만, 아람사스 말고는 도움이 되지 않는 지식인데도 이런 금액을 내는 건 주저됐다.

클라라는 그런 소피아의 마음을 이해했다.

이 두 사람은 내면이 얼굴에 잘 드러나니까.

"조금 비싸게 느끼실지도 모르지만, 모르는 것보다 훨씬 나아요. 그리고, 두 분에게 추천할 도장 말인데요. 솔직히 말해서 두 분의 마음에 달렸어요. 지금의 스타일을 계속 추구하고 싶은지, 아니면 새로운 것에 도전하고 싶은지."

아리아가 흥미를 드러냈다.

"새로운 거라니?"

"아리아 씨는 속도를 살리는 전사예요. 척후 등도 맡으실 수 있을 거예요. 단지, 라이엘 씨가 아츠를 사용하신다면 불필요하겠죠. 미란다 씨도 같은 일을 하실 수 있기는 하지만, 정찰을 전문으로 하는 멤버가 없는 건 불안하네요."

라이엘의 아츠는 너무나 우수하기에 동료들의 일을 빼앗고 있었다.

그렇기에 아리아도 소피아도 전투 말고 다른 기능을 원하지 않은 것이다.

"척후…… 확실히 라이엘이 있으면 필요 없을지도……."

그러나 클라라는 척후가 얼마나 중요한지를 설명했다.

"원래 척후는 무척 중요한 역할이에요. 사실 중요하지 않은 역할이라는 것도 적긴 하지만, 척후는 어느 파티에서도 중요시하는 역할이죠."

척후 전문은 아니더라도, 정찰할 수 있는 인원은 미궁에서는 필수 불가결하다.

아리아가 눈을 반짝이자, 초조해진 소피아가 클라라에게 매달렸다.

"저, 저기. 저는 뭐가 어울릴까요?"

클라라는 조금 곤란했다.

"소피아 씨도 배우실 수는 있겠지만, 당신은 단순하게 강하니까 지금 스타일을 갈고닦는 것도 좋을지도 모르겠네요."

"저, 저한테는 새로운 건 무리라는 건가요?"

침울해진 소피아에게 클라라가 한숨을 내쉬었다.

"제 개인적인 평가니까 의존하지는 않으셨으면 하는데, 솔직히 말씀드려서 두 분은 이미 강해요. 아리아 씨의 스피드에 따라갈 수 있는 사람은 과연 아람사스에 몇 명이나 될지 몰라요. 그리고 소피아 씨는 중량을 다루시죠? 그건 전위에서 싸우는 사람들 입장에서는 정말 고마운 아츠라고 생각해요."

소피아가 가진 것은, 만지고 있는 것의 중량을 조작하는 아츠.

아리아가 가진 아츠는, 자신의 스피드를 더욱 끌어올리는 것이다.

모두 클라라가 보기에는 부러운 아츠라고 설명해주었다.

"……그런가요? 저는 아리아의 아츠가 부럽다고 생각하는데요."

소피아가 그렇게 말하자, 클라라는 조금 강한 어조로 말했다.

"그건 배부른 소리예요. 모험가 가운데서는 자신의 아츠가 생기지 않아서 도구에 의존해 싸우는 분도 많은데 말이죠."

아츠는 한 사람당 하나씩 발현할 가능성을 품고 있다.

그러나 어떤 아츠가 나오는지 선택할 수는 없다.

사람에 따라서는 원하는 아츠가 나오지 않을 수도 있거니와, 도움이 되지 않는 아츠도 있다.

때때로 성능이 망가진 것 같은 아츠도 존재하지만, 소피아의 아츠는 가진 것을 기뻐해도 좋은 부류였다.

클라라는 자신의 왼손을 들었다.

의수인 왼팔의 개폐 부분을 열자, 그곳에는 금속 막대기가 꽂혀있었다.

"그리고, 간단히 강해지고 싶다면 마구를 구입하는 것도 좋을지도 몰라요."

마구란, 도구에 문양을 새겨서 아츠를 재현하는 도구다.

그 밖에도 마석을 에너지원으로 삼아 움직이는 도구를 마구라 부른다.

아리아가 머리를 긁적였다.

"나는 안 돼. 이게 있으니까 무리야."

목에 걸린 붉은 옥은, 라이엘이 가진 보옥과는 색이 다르다.

마구와는 상성이 좋지 않아서, 서로 간섭하기에 아츠를 쓰지 못하게 된다.

소피아가 고개를 수그렸다.

"그, 그게…… 마구는 비싸서, 구입할 수 있는 예산이 없어요."

마구는 기본적으로 고액이다.

이유는, 마구의 소재가 되는 금속이 희귀하기 때문이다.

소재는 구리나 철이라도, 그것들에 마력이 내포되어 있을 필요가 있다. 마력이 담긴 금속은 희귀금속이라 불리며, 그것 자체가 비싸다.

클라라는 소피아의 배틀 액스가 희귀금속으로 되어있다는 걸 간파하고 있었다.

"저번에 봤던 배틀 액스 말인데요. 희귀금속이 사용된 것 같은데. 그걸 이용하면 싸게 쓸 수 있지 않을까요."

소피아가 놀랐다.

친가의 가보였는데, 자세한 사정 같은 건 알지 못했기 때문이다.

"그런가요?"

"네. 틀림없이 보여요. 그것에 아츠를 새기면 사용할 수 있게 될 거예요. 직공을 알고 있으니까 소개해드릴까요?"

소피아의 얼굴이 밝아지자 아리아도 기뻐했다.

"해냈네. 소피아!"

"네, 넷!"

클라라는 크게 기뻐하는 두 사람 앞에서…….

"두, 두 분 다 도서관에서는 조용히 해주세요."
곤란한 표정으로 두 사람에게 주의를 줬다―.

제59화 시행착오

아침부터 사크라이 자매의 집은 소란스러웠다.

테이블 위에는 먹기 좋은 크기의 샌드위치가 올라가 있고, 아리아 씨가 서둘러 먹고 있었다. 나는 그 광경을 지켜봤다.

"아침부터 잘 드시네요."

아리아 씨는 목이 막혀서 음료수를 위로 흘려 넣었다.

"먹지 않으면 못 버텨. 오늘은 아침부터 저녁까지 예정이 있으니까 점심은 필요 없어."

뽀용뽀용은 어이없다는 듯이 아리아 씨를 바라봤다.

"좀 더 잘 씹으면서 드시죠. 행실도 바르지 않고, 건강에도 문제가—."

그러자 현관에서 소피아 씨의 목소리가 들렸다.

"아리아, 저는 먼저 가요."

아리아 씨가 의자에서 일어났다.

"자, 잠깐만. 나도 갈 거야!"

아침부터 소란스러운 두 사람을 노웸이 웃으면서 배웅했다.

"소란스럽기는 하지만, 두 분 다 예전보다는 밝아지셨네요."

나는 샌드위치를 입에 옮겼다.

"두 사람 다 어디로 가는 걸까?"

노웸이 대답해줬다.

"아람사스 지하 미궁에 관해 배운다고 해요. 오후부터는 도장에서 땀을 흘리신다고 들었어요."

"흐~응."

시선을 테이블로 돌렸다.

샤논은 졸린 듯이 샌드위치를 먹으며 부스러기를 후두둑 흘리고 있었다. 미란다 씨가 샤논의 머리를 때리며 주의를 줬다.

"샤논. 행실이 바르지 않잖니."

"죄, 죄송해요. 언니."

미란다 씨는 식사를 마치고는 일어나서 외출 준비를 시작했다.

"나도 나갈게. 정오에는 돌아올 테니까 가사 쪽은 부탁해. 샤논을 부려먹어도 되니까."

미란다 씨도 그런 말과 함께 나가자, 샤논은 노골적으로 안도하며 긴장을 풀었다.

그리고는 테이블 위에 팔꿈치를 댔다.

"하아~ 겨우 조용해졌네."

뽀용뽀용이 긴장을 푼 샤논을 바라봤다.

"안심하는 모양인데, 식후 뒷정리가 끝나면 특훈이에요. 특훈! 그 후에는 청소도 도와주셔야겠어요."

샤논이 꺼림칙한 표정을 지었다.

"에이~ 오늘은 쉬고 싶어. 나, 어제 힘냈잖아."

나는 그런 샤논에게 코웃음 쳤다.

"너는 어제도 그렇게 말하면서 오후부터 빈둥거렸잖아."

소파 위에서 그림책을 읽고 있었다.

바로 최근까지 눈이 보이지 않던 샤논은 읽고 쓸 수가 없다. 그래서 요즘에는 사다 준 그림책을 읽는 데 푹 빠졌다. 노웸이 나를 바라봤다.

"그럼 라이엘 님과 함께 외출하는 게 어떨까요? 라이엘 님도 딱히 아람사스를 돌아다니지는 않으셨잖아요."

나는 샤논의 얼굴을 봤다.

나와 마찬가지로 무척 불쾌한 표정이다.

"싫어."

"나도 싫어. 언니가 돌아오면 같이 외출할 거야."

그렇게 서로 노려보자 노웸은 웃었고―.

"오늘은 유랑 극단이 오전부터 큰길에서 극을 공연한다고 해요."

그 말을 들은 샤논이 흥미를 보였다.

안절부절못하고 있다.

"그, 그래? 그럼…… 가줄 수도 있어."

나는 샤논에게서 고개를 돌렸다.

"나는 안 가."

보옥 안의 역대 당주들이 울 것 같은 표정을 지은 샤논을 동정했다.

『야, 울 것 같잖냐.』

『데려가 줘.』

『라이엘. 그런 태도는 한심해 보입니다.』

『너는 정신적으로는 샤논과 똑같은 어린애구나.』

5대는 어린애라고 하는데, 아무리 그래도 그건 지나친 말이라고 생각한다.

그러나 6대도 5대의 의견에 납득했다.

『샤논과 정신 연령이 똑같은 겁니까. 확실히 사이좋을 만하군요!』

『그러고 보니 샤논도 저택에 유폐되어 있었지.』

7대의 말이 가슴에 꽂혔다.

평소에는 바보 같은 녀석이지만, 환경만 따지면 나와 닮았다.

아니, 태어났을 때부터 계속 연금 상태였다는 걸 고려하면, 나보다 더 심각한 처지였을지도 모른다.

"……뒷정리를 확실히 하면 데려가 줄게."

침울해졌던 샤논의 얼굴이 마치 꽃이 피듯이 확 밝아졌다.

노웸은 내 모습을 보며 미소 지었고, 뽀용뽀용은 샤논을 부러운 듯이 보고 있었지만 방해하려 들지는 않았다.

아람사스의 큰길.

유랑 극단 소속 엘프들이 노래나 극을 공연했다.

주변에는 곡예를 벌이는 엘프의 모습을 보기 위해 인파가 생겨나 있었다.

샤논과 둘이서 외출했는데, 나는 현재 시행착오 중인 짐마차로 고민 중이었다.

샤논은 커다란 공 위에 올라타서 저글링을 하는 극단원을 보고 있었다.

손을 꽉 움켜쥐고 진지하게 보고 있다.

보옥 안에서는 내게는 해주지 않는 다정한 목소리가 들려왔다.

『즐거워 보여서 다행이군.』

『지금까지 밖에 나온 적이 없으니, 이 정도는 괜찮지 않을까?』

『마안 같은 걸 갖고 있긴 하지만, 나이에 걸맞은 모습이군요. 아니, 조금 어린 정도일까요. 이런 즐거움 정도는 있어도 되겠죠.』

『지금은 뭘 보더라도 재미있지 않을까?』

『그렇겠죠. 좀 더 보여주고 싶을 정도입니다.』

『라이엘. 샤논도 월트 가의 피를 잇는 자. 소중히 대해주거라.』

여자아이가 상대니까 다정할 뿐이잖아. 평소에 내게 취하던 자세와는 완전히 다르다. 불합리함을 느껴버리는 나는 잘못된 걸까?

5대도 6대도, 잘 알고 있는 미레이아라는 여성의 증손녀라서 편애하며 다정하게 대응하고 있는 것 같다.

내가 그대로 고민을 하면서 유랑 극단을 바라보자, 샤논이 내 옷을 잡았다.

"잠깐만. 나랑 같이 있는 게 그렇게 싫어?"

"싫은데. 뭐, 그것과는 별도로 고민거리가 있어서."

"짐수레 말이야? 그것에 올라타서 뜰을 빙글빙글 돌아다니던 너, 얼간이로밖에 안 보이던데."

"시끄러워."

"아얏!"

웃고 있는 샤논의 이마를 손가락으로 찌르자, 이마를 누르며 항의하는 시선을 보냈다.

"꽤 중요하다고. 그거라면 짐을 옮기는 게 편해지니까. 하지만 지출이 많단 말이지."

짐수레를 구입해서 이것저것 실험하다 보니 지출이 생겼다.

뽀용뽀용이 없었다면 비용이 훨씬 더 들었을지도 모른다.

구입한 짐마차는 짐을 많이 실으면 움직이지 못하게 되었다. 조금 무리하니까 짐수레 자체가 부서졌다.

그래서 2륜에서 4륜으로 바퀴를 늘리는 개조를 했다.

그렇게 문제가 생길 때마다 개조하고 있어서 지출이 늘어났다.

거기까지 고민하던 나는 이런 생각이 들었다.

"……왜 나는 아람사스에 와서 짐수레를 개조하고 있는 걸까. 원래는 이것저것 배우러 왔는데……."

도서관이나 학원에서 지식을 쌓고, 도장에 다니며 무예를 갈고닦는다.

모험가에게 필요한 기능이나 동료를 얻기 위해 왔는데, 메이드 뽀용뽀용과 함께 매일 짐수레를 만지작거리는 나날을 보내고 있다.

나는 대체 어디로 가려는 걸까.

그러자, 노래가 끝났는지 박수 소리가 들려왔다.

샤논도 내게 흥미를 잃었는지 한층 커다란 박수를 보내며 엘프 가수를 바라봤다.

"태평하네……."

그런 샤논이 부러워 보였다.

바로 그때, 더러운 모습의 집단이 지나갔다. 손님들이 인상을 찌푸렸다.

"봐봐, 모험가야."

"야만스러워."

"어째서 여기로 지나가는 거야. 다른 길을 쓰지 참……."

모험가 중에는 다쳐서 붕대를 감은 이들도 있었다.

무거운 짐을 들고 모험가 길드로 가고 있다.

"젠장. 발이 휘청거리잖아."

"짐을 이리 줘, 내가 들어줄게."

"미안."

동료끼리 서로 돕는 모습은 지금의 내게는 눈부시게 보였다.

다친 모험가가 투덜거렸다.

"길드까지의 길이 아득해. 짐마차라도 준비해서 이동할 수 있으면 편할 텐데……."

확실히, 미궁에서 모험가 길드까지 가는 길은 멀다.

이런 짐을 날라주는 장사가 있기는 하지만, 문제가 많은지라 이용하지 않는 모험가가 대부분이다.

"무리한 소리 하지 마. 돈이 드니까 돈벌이가 줄어들잖아. 참고 걸어."

"어서 돌아가서 술을 마시고 싶어."

모험가들이 멀어지는 모습을 보며 나는 중얼거렸다.

"돈이 든다, 라. 확실히 짐마차라면 돈이 들고, 짐수레를 빌리는 것도······."

대량의 짐은 미궁에서 얻은 우리의 성과 그 자체.

모험가들의 밥벌이 수단인 마석이나 소재니까, 버릴 수는 없다.

입구 주변에 짐을 날라주는 장사를 하는 사람들도 있지만, 개중에는 악질적인 이들도 있어서 소중한 짐을 맡길 수 없다고 한다.

짐마차는 말의 유지비도 들기 때문에 1회 사용료가 비싸다.

어차피 지상까지 나온다면, 비싼 돈을 내지 않고 걸어서 모험가 길드로 가는 게 일반적이다. 예외도 있지만, 아무튼 미궁 입구에서 모험가 길드까지 가는 길은 멀다.

"······나라면 할 수 있을지도 몰라."

나는 어떤 발상이 번뜩였다. 샤논이 만족스러워하는 옆에서, 나는 모험가들을 바라보며 생각을 정리했다.

─이날. 클라라는 아는 모험가와 함께 일하고 있었다.

미궁에 들어가서 서포트를 한다.

평소와 같은 일이었지만, 문제는 밖에 나오고 나서 발생했다.

미궁에 들어와 마물을 쓰러뜨리면 거기서 마석을 손에 넣고 쓸만한 부위를 채집한다. 그런 것들은 싸우면 싸울수록 손에 들어오고, 짐은 계속 늘어난다.

겨우 밖으로 나오자, 그곳에는 간판을 든 소녀가 서 있었다.

옆에는 라이엘이 있다. 이야기로 들었던 뽀용뽀용인 것 같 았다.

화려한 메이드복 차림의 오토마톤. 그 뽀용뽀용이 가진 간 판에는.

『모험가 길드까지 은화 세 닢』

그런 말이 적혀있었다.

처음에는 다섯 닢으로 하려던 것 같았지만, 지금은 지워서 3이라는 숫자가 적혀있다.

클라라는 뽀용뽀용 옆에 선 라이엘에게 다가갔다.

"뭐 하시는 건가요?"

라이엘 뒤에는 조금 커다란 짐수레 같은 물건이 있었다.

군데군데 손을 댔는지, 바퀴가 네 개였다.

"그게, 짐을 날라주는 장사를 해보려고 해서요."

라이엘의 대답에 클라라는 고민했다.

"……모험가는 그만두시려고요?"

"그만두지는 않아요. 잠시 짐수레를 개조해보고 있는데, 그 자금을 벌려고 해서요. 은화 세 닢은 비싼가요?"

단순한 짐 나르는 일에 은화 세 닢이나 내는 건 바보 같은 일이다.

미궁에서 모험가 길드까지 가는 길은 확실히 큰일이다. 그 러나 그런 돈을 낼 바에는 걸어가는 게 낫다.

"비싸네요. 옮기는 양에 따라 다르긴 하지만, 적어도 은화 한 닢이 아니면 부탁할 마음은 들지 않아요."

라이엘은 간판을 든 뽀용뽀용과 상담하기 시작했다.

"거봐. 역시 비싸다잖아."

"치킨 자식. 저런 말에 겁먹지 마세요. 저희의 서비스에는 그만큼의 가치가 있다고요."

양보하지 않는 뽀용뽀용을 바라보던 라이엘이 보옥을 손에 들었다.

움켜쥐고, 굴리는 모습을 보면서 클라라는 생각했다.

'라이엘 씨의 버릇일까요?'

라이엘은 뭔가 결의한 듯이 끄덕였다.

"그럼. 클라라 씨에게 시험해달라고 하자. 클라라 씨, 한 번만 무료로 해드릴 테니 사용감을 시험해주실래요?"

그 말을 들은 클라라는 당황했다.

"아뇨. 저는 결정권이 없어서……."

거절하자, 이야기를 듣던 지인이 고개를 내밀었다.

"뭐야, 클라라의 지인이냐? 무료라도 좋다면 시험해보자고. 하지만, 형씨랑 누님이 이만한 짐을 옮길 수 있겠어?"

옮기고 있는 것들은 금속이 많다.

게다가 20명 전후의 짐은 적지 않다.

짐수레 자체는 커서 짐을 싣는 건 가능하다. 하지만 그걸 라이엘이 끌 수 있을 것 같지는 않았다.

클라라가 짐수레로 보이는 물건을 보며 고개를 갸웃했다.

'애초에 형태가…… 짐받이에 바퀴를 네 개 붙여놨을 뿐이지, 끄는 것도 미는 것도 적합하지 않은 형태인 게 조금…….'

짐수레는 평범한 형태와 달리, 직사각형 상자에 바퀴를 네 개 붙여놓은 형태였다.

전방에 핸들 같은 것은 있지만, 그게 짐받이 쪽에 붙어있다.

클라라를 제외한 다른 모험가들도 그 형태를 보며 곤혹스러운 표정을 지었다.

뽀용뽀용이 그 집단을 바라봤다.

"그래요. 그럼 짐의 절반과 부상자분을 태울까요."

그렇게 말하고는 사람이나 짐을 싣고, 라이엘도 뽀용뽀용과 함께 짐수레에 올라탔다.

그 모습에 클라라는 골치가 아파졌다.

"뭐 하시는 건가요. 라이엘 씨. 설마, 저희보고 짐수레를 끌라는 건가요?"

주변 사람들도 어이없어했지만, 라이엘은 웃었다.

"아무리 그래도 그렇게 장사를 할 생각은 없어요. 자, 이렇게."

라이엘이 짐수레에 달린 핸들을 쥐자, 아무도 밀거나 끌지 않았는데도 움직이기 시작했다. 대량의 짐을 싣고 있건만, 문제없이 움직인다.

라이엘은 기뻐했다.

"오, 움직였다!"

옆에서 뽀용뽀용이 불만스러운 표정을 보였다.

"역시 출력이 오르지 않네요. 좀 더 마력이 나오면 좋을 텐데요."

클라라의 지인이 웃었다.

"뭐야 이거, 재미있잖아!"

다른 모험가들도 흥미진진해 보였다.

"이거 짐수레야? 말이 필요 없는 짐마차인가?"

"아니, 말이 없으니까 짐수레겠지."

"최근에는 이런 탈것까지 나오는 건가?"

이곳은 아람사스.

신기한 물건이 넘쳐나는지라, 주민들은 라이엘의 짐수레를 봐도 학원이 개발한 새로운 탈것 정도라고 생각하고 있었다.

그래서 비교적 쉽게 받아들였다.

만약 다른 곳이었다면 큰 소동이 벌어졌으리라.

클라라는 순순히 감탄했다.

'……이건 굉장해. 굉장하지만…….'

들고 옮기는 짐이 줄어들었기에, 집단은 안도한 표정을 보였다.

주변 사람들은 편리한 탈것 정도로만 생각하는 모양이었다.

'라이엘 씨. 대체 무슨 생각을 하시는 거죠? 장사라도 시작하시려는 건가요?'

라이엘은 즐겁게 짐수레를 조작하며 큰길을 나아갔다. 주변을 걷는 집단과 페이스를 맞춘다기보다는, 너무 무거워서 그리 빨리 움직이지는 못하는 모양이었다.

"아직 개량의 여지가 있겠어. 돌아가면 개조해야지."

진지하게 짐수레에 대해 고민하는 라이엘을 바라보는 클라라는 무척 복잡한 심경이었다—

밤.

창고 안에서 나는 불빛을 놓고 뽀용뽀용과 짐수레를 개조하고 있었다.

용접 마스크를 착용한 뽀용뽀용이 금속을 가공해서 붙이고, 때때로 불똥을 튀기는 작업을 하고 있다. 역시 목재여서는 강도에 문제가 있어서 금속을 사용하게 되었다.

"역시 좀 더 크게 만들고 싶네. 스피드도 나오게 하고 싶어."

뽀용뽀용이 마스크를 쓴 상태에서 나를 돌아보며 못 말리겠다는 포즈를 잡았다.

마스크 속에서 잠긴 목소리가 나왔다.

"치킨 자식은 사치스럽네요. 하지만 역시 이 이상은 저도 미지의 영역이라서요. 누군가의 조력을 받고 싶어요."

바로 조력을 부탁할 상대를 고민해보자, 떠오른 것은 데미언이었다.

그러나 바빠 보였으니까 방해하는 것도 미안하다.

애초에 뽀용뽀용을 데미언의 연구실로 데려가는 건 귀찮다. 릴리 씨와 싸울 게 뻔하니까.

이 녀석들. 오토마톤끼리면서 사이가 나쁘다.

망가졌는지, 고대인이 그렇게 만든 건지는 모르겠지만.

어느 쪽일까?

"……그러고 보니, 클라라 씨의 의수에는 마구를 사용했었지."

도서관을 좋아하고 지식도 풍부.

그녀라면 뭔가 아이디어를 줄지도 모른다.

도구를 놓자, 마침 샤논이 창고에 들어왔다.

"언니가 저녁 먹으러 집에 들어오래."

아무래도 저녁 준비가 다 된 모양이다.

샤논이 내 얼굴을 보더니 키득키득 웃었다.

"뭔데."

"얼굴이 새까매. 너, 창고 앞에서 얼굴 씻어. 더럽잖아."

그렇게 말하며 창고에서 나가는 샤논을 본 나는 울컥했다.

"……역시 저 녀석은 싫어."

뽀용뽀용이 깨끗한 타올을 가져와서 내 얼굴을 닦아줬다.

"자. 움직이지 마세요. 치킨 자식."

"야, 야. 그만둬. 그보다 넌 왜 더럽지 않은 건데."

나보다 더러워도 이상하지 않았던 뽀용뽀용은 자기 모습을 내게 보여주며 자랑했다.

"이 뽀용뽀용은 고성능이니까요. 때 묻지 않고, 만약 묻더라도 바로 지워지죠. 그리고 고장이나 손상이 있을 때도 치킨 자식의—"

"그러고 보니, 너 외벌옷이잖아. 옷 같은 거 필요 없어?"

나는 아무리 오토마톤이라도 옷이 한 벌인 건 너무하지 않나 생각해서 물어본 건데, 뽀용뽀용은 분한 듯이 손수건을 깨물었다.

"마, 마음만은 기쁘지만, 치킨 자식은 저보고 벗으라는 건가요? 이 뽀용뽀용에게 메이드복을 벗으라고! 아뇨, 괜찮아요. 밤에 벗으라고 한다면야 기꺼이 벗고말고요. 하지만, 다른 옷을 입으라뇨! 저는 이 메이드복에 긍지를 갖고 있다고요!"

이 녀석 귀찮다.

옷이 한 벌밖에 없는 게 딱해서 사주려고 했는데 거부당했다.

"네가 그래도 상관없다면야 넘어가겠지만, 옷은 가끔 빠는 게 좋다고 생각하거든. 그거, 이상한 냄새 나지 않아?"

"안 나요! 난다고 해도 향긋하고 환상적인 여자아이의 냄새밖에 나지 않는다고요! 현실의 여성에게 너무 물들어버린 것 아닌가요? 전 이래 봬도 이상을 추구한 최고 걸작이거든요!"

나는 살짝 코웃음 쳤다.

"주인을 치킨 자식이라 부르는 최고 걸작이라니."

뽀용뽀용은 울상을 지으며 떨었다.

"마음속으로는 주인님이라 부르고 있는걸!"

있는걸! 좋아하시네.

조금 귀엽게 굴어도 나는 안 속아.

"아무래도 좋나. 밥이나 먹자. 오늘은 미란다 씨가 저녁 당번이었지."

"자, 잠깐만요. 저를 두고 가지 말아요! 울 거예요. 짜증날 정도로 울 거라고요! 자고 있을 때 머리맡에서 훌쩍훌쩍 울어버릴 거예요!"

나는 돌아보면서 웃는 얼굴로 뽀용뽀용에게 말했다.

"이미 충분히 짜증난다고 생각해."

뽀용뽀용은 호들갑스럽게 등을 젖히더니 기뻐하며 말했다.

"웃는 얼굴로 매도하다니! 기뻐서 흥분해버릴 것 같아요!"

아직 알게 된 지 얼마 되지 않았지만, 이 녀석은 뭘 해도 기뻐하는 게 아닐까? 뭐, 나는 배가 고파졌기에 집 안으로 향했다.

"자, 빨리 안 오면 놔두고 간다."

"기다려 주세요~."

다음 날.

나는 클라라 씨를 찾기 위해 도서관으로 발을 옮겼다.

휴일 대부분을 도서관에서 보내는 클라라 씨를 찾는 건 매우 간단했다.

뽀용뽀용 녀석은 자료를 찾기 위해 따로 행동 중이다.

클라라 씨를 휴게실로 권한 나는 현재 진행하는 계획을 이야기했다.

잠시 어이없어하던 클라라 씨는 내 계획 자체에는 흥미를 보였다.

"데미언 교수님의 마법으로 짐수레를 움직이고 있었던 거군요. 과연. 확실히 재미있어 보이긴 해요."

오히려 왜 아무도 시험해보지 않았나 신경 쓰인다.

"여러모로 시험해보고 있긴 한데, 문제가 좀 많아서 고전하고 있어요. 도와주실 수 있을까요?"

클라라 씨는 음료수를 입으로 가져가 한 모금 마셨다.

"상관없어요. 단지, 한 가지 부탁드릴 게 있어요."

"부탁?"

"하나. 아뇨. 한 대만, 그 짐수레를 제게 주실 수 있을까요?

저도 데미언 교수님의 마법은 사용할 수 있으니까요."

이건 의외였다.

"사용하실 수 있나요?"

클라라 씨는 살짝 웃으며 왼팔을 들어 움직였다.

"이 의수를 조작하는 건 애초에 데미언 교수님의 마법이니까요. 인형의 일부를 움직이는 감각으로 사용하고 있어요."

짐을 나르기 편해지니까, 클라라 씨도 협력하고 싶다고 말해주었다.

"그거 굉장하네요. 알겠습니다."

"그럼, 내일부터 실례할게요. 짐을 드는 것도 꽤 큰일이라서, 그런 탈것을 타고 미궁을 이동할 수 있다면 편해서 좋을 거예요."

확실히 미궁 안을 걷지 않을 수 있는 건 편하다.

"큰 도움이 될 거예요. 그리고—."

"또 뭔가 있나요?"

나는 쑥스러워하며 손끝으로 뺨을 긁적였다.

"실은 찾는 책이 있어서요."

—햇살이 강한 날이 이어지고 있다.

노웸이 세탁물을 말리기 위해 밖으로 나오자, 아침부터 허둥대는 아리아와 소피아 두 사람이 집을 나가는 모습이 보였다.

"두 분 모두 힘내고 계시네요."

흐뭇하게 지켜보자, 이번에는 라이엘이 뜰로 나왔다.

두 사람을 배웅할 때 이상의 미소로 맞이했다.

"라이엘 님. 지금부터 단련인가요?"

"응. 샤논이 오면 시작할 건데, 그보다도 최근에는 졸려서 견딜 수가 없어."

노웸은 하품을 하는 모습을 보며 어머니처럼 주의를 줬다.

"매일 늦게 주무시니까 그렇죠. 너무 무리하지는 말아 주세요."

"으, 응."

라이엘은 딱히 반론하지 못하고 수긍했지만, 노웸이 지금까지 몇 번이나 주의를 줬는데도 개선의 여지는 없었다.

단지, 그렇게나 푹 빠져서 작업하는 라이엘을 보며, 노웸은 조금 기쁘게 생각하고 있었다.

"그런데 한동안 미궁에 들어가지 않는다고 말씀하셨는데, 정말 괜찮으신가요?"

라이엘의 결단으로 일행은 한동안 미궁에 들어가지 않기로 했다.

지금 이대로는 제대로 벌 수 없다는 게 이유 중 하나.

또 하나는, 라이엘이나 일행들도 가능하면 집중해서 시간을 보내고 싶었던 것이 본심이다. 단지, 그동안에는 수입이 제로다.

"괜찮아. 여차하면 팔 수 있는 보석도 있으니까. 그보다도, 오늘도 점심 식사와 저녁 식사는 1인분 많이 부탁해."

노웸이 수긍했다.

"클라라 씨의 몫인가요."

최근 점심과 저녁 식사는 클라라도 함께하는 일이 많다.

　라이엘이 완성을 서두르고 있는 탈것 제작을 도와주고 있기 때문이다.

　노웸으로서는 조금 복잡했다.

　'너무 그것에 얽히지 마셨으면 좋겠지만, 라이엘 님이 즐기고 계시니까 빼앗는 건 딱하겠죠.'

　창고에 놓여있는 망가진 장갑차.

　원래는 당장 버리고 싶었지만, 라이엘이 마음에 들어 했기에 남겨두고 있었다.

　라이엘은 스트레칭을 했다.

　"그러고 보니, 노웸은 뭔가 하고 싶은 것 없어? 우리만 이것저것 움직이는 바람에 네게 부담만 주고 있는 것 같은데."

　노웸은 조금 곤란해졌다.

　애초에 노웸은 여기서 배울 것이 없었으니까.

　"저는 딱히 없어요. 친가에서 이것저것 배웠고, 게다가 여기서 여러분을 돌보는 것도 즐거우니까요."

　라이엘은 노웸을 걱정하고 있었다.

　"그거야말로 뽀용뽀용한테 시키면 되지 않을까? 노웸도 조금은 숨을 돌리는 게 좋아."

　노웸은 살짝 웃었다.

　"가사는 취미 같은 거니까요. 뭔가 배우고 싶은 걸 찾는다면 부탁드릴게요."

　라이엘이 미안한 표정을 짓는 걸 본 노웸은 조금 기뻐졌다.

그만큼 자신을 생각해주고 있다는 뜻이니까―.

오후.

우리는 클라라 씨를 더한 셋이서 짐수레를 둘러싸고 있었다.

뽀용뽀용이 가공한 쇠파이프로 골조를 만든 짐수레는 짐마차 형태에 가까워졌다.

짐받이가 있고, 전방에 마부가 앉는 자리가 있다.

타이어는 네 개고, 짐받이 공간은 넓다.

"……이건 이미 짐수레가 아닌 것 같네요. 아니, 짐수레라도 틀린 건 아니지만, 다른 무언가 같아요."

짐을 실을 수 있는 수레라는 건 틀림없지만, 그것을 마구나 기계로 보강한 다른 무언가.

확실히 다른 이름을 붙여야 할지도 모른다.

나는 머리를 긁적였다.

"뭐, 이름은 나중에 정하기로 하고, 이 상태라도 아직 문제가 많네요."

예전보다는 적재 중량도 스피드도 올라갔지만, 역시 조작하는 사람의 부담이 크다.

장시간 움직이기에는 문제가 있었다.

클라라 씨가 안경 위치를 손가락으로 고치면서 짐수레를 봤다.

"사람의 마력만으로 움직이는 건 한계가 있어 보이네요. 데미언 교수님에게 여쭤보면 아이디어를 주실지도 몰라요. 흥미가 생기면 제작해주실지도 모르고요."

나는 고개를 내저었다.

"그럴 수는 없어요."

"어째서죠?"

"아무리 그래도 부탁하기만 하는 건 미안하고, 무엇보다 저희끼리 완성하고 싶어서요."

내심, 스스로 이렇게 완성해나가는 게 즐거워졌다.

적어도 조금 더 형태가 잡히고 나서 데미언에게 상담하고 싶다.

뽀용뽀용이 클라라 씨에게 물었다.

"마구로 좀 더 보조할 수 없을까요? 신기한 마법 파워로 어떻게 좀 해주세요."

클라라 씨가 어이없어했다.

"마구가 만능이라고 생각하지는 말아 주세요. 마법도 한계가 있어요."

그러나 클라라 씨는 짐수레를 만지면서 잠시 고민한 뒤, 말을 이었다.

"단지, 마력 보급을 하는 건 괜찮을지도 몰라요. 희귀금속에서 마력을 얻거나, 마석 같은 것으로 직접 얻을 수 있게 하는 건 가능하겠죠."

뽀용뽀용이 화를 냈다.

"확실히 가능하잖아요. 역시 마법 파워네요."

고대인은 마법을 사용하지 않았던 건지, 뽀용뽀용에게 마법은 신기한 현상이라는 모양이다. 나로서는 뽀용뽀용 쪽이 더 신기한 존재다.

클라라 씨가 평소에도 졸려 보이는 눈을 더욱 가늘게 떴다.

"희귀금속이나 마석을 사용한다는 건, 단순하게 유지비가 늘어난다는 걸 의미해요. 저는 이 짐수레를 소형화해서 적재량을 줄이는 게 좋을 것 같아요. 개인적으로 움직이는 건 문제없고, 미궁 안에서도 편하게 움직일 수 있으니까요."

소형으로도 사람 한 명이 나르는 양을 대폭 늘릴 수 있다.

확실히, 미궁에 들어가기만 하는 거라면 그쪽이 좋을지도 모른다.

뽀용뽀용은 불만스러워 보였다.

"최종적으로는 창고에서 잠들어 있는 장갑차를 움직일 정도로는 해두고 싶네요."

클라라 씨가 창고를 봤다.

그리고 보관되어 있는 장갑차를 보며 고개를 내저었다.

"저걸 움직이려면, 그야말로 『마광석』이 필요할 거예요. 최저라도 금화 수백 닢이나 되는 물건이죠. 그만한 물건을 준비할 수 있나요?"

뽀용뽀용이 마광석이라는 새로운 단어를 듣고는 「이러니까 판타지 세계는……」 하고 투덜투덜 불만을 토로했다.

그러자 보옥 안에서 3대가 말했다.

『어라? 그러고 보니 라이엘은 하나 갖고 있잖아. 그거, 전에 입수했던 「페리도트」가 있을 거야.』

4대는 부정적이었다.

『마광석은 들고 다니기 편한 재산입니다. 사용할 필요는 없어요. 마석이나 희귀금속으로 대용할 수 있다면, 그쪽이 나을 겁니다.』

내가 마광석을 가지고 있다고 말하기 전에, 클라라 씨는 가져온 책 몇 권을 꺼냈다.

"마구에 관한 자료를 가져왔어요. 단지, 진행하는 일이 너무 획기적이라서 도움이 될지는 모르겠네요."

내가 한 권을 받아들자, 그곳에는 마구에 관한 것들이 적혀있었다.

제작 방법이나 원리에 대한 것도 적혀있다.

뽀용뽀용이 다른 책을 들고는 엄청난 속도로 페이지를 넘겼다.

"너, 그거 제대로 읽고 있는 거야?"

뽀용뽀용은 페이지를 넘기는 손을 멈추지 않고 답했다.

"정확하게는 복사하는 거지만, 확인도 하고 있으니 문제없어요. 상상한 것보다도 원시적이네요."

클라라 씨가 조금 당혹스러워했다.

"그 책에 적혀있는 건 기초 중의 기초에요. 최근의 마구는 제조 방법을 비밀로 해두고 있으니까요. 그보다, 뽀용뽀용 씨는 저와 같은 아츠를 가지신 건가요?"

나는 클라라 씨를 봤다.

"클라라 씨도 아츠를 갖고 계신가요?"

그녀는 조금 부끄러운 듯이 수긍하더니 내게 아츠를 보여줬다.

"제 아츠는 특수해요. 드물게 나오는, 아츠에 단계가 없는 타입이죠. 발현하기만 해도 기쁘기는 하지만, 전투에는 도움이 되지 않아요."

클라라 씨가 손을 펼치자, 그곳에는 한 권의 책이 나타났다.

뽀용뽀용이 눈을 크게 떴다.

"……도움이 되지 않는다니 거짓말 아닌가요? 지금 이 사람, 아무것도 없는 곳에서 책을 꺼냈는데요."

독서를 좋아하는 3대가 흥미를 보였다.

『좋네. 클라라 굉장해. 뭐랄까, 이건 놓칠 수 없는 인재야.』

평소에는 가벼운 태도를 보이는 3대가 클라라 씨에게 강한 흥미를 보였다. 마치 동료로 끌어들이라는 말투다.

클라라 씨는 고개를 내저었다.

"제 아츠는 【워킹 라이브러리】…… 간단히 말해서, 제가 지금까지 읽어온 책을 보관하고 있어요. 이렇게 제 지식을 책이라는 형태로 만들 수 있죠."

나는 솔직하게 감탄했다.

"그거 굉장하네요. 전투에는 도움이 안 될지도 모르지만, 그걸 제외하면 귀중한 아츠잖아요."

그러나 클라라 씨는 고개를 내저었다.

"저와 비슷한, 아뇨, 더 우수한 같은 계통의 아츠를 가진 사람이 무척 많아요. 그런 사람들은 학원이나 도서관에서 직원으로 채용되었지만, 저는 채용되지 않았어요."

클라라 씨는 자신의 아츠는 다른 것들에 비해 뒤떨어진다고 말했다.

학원도 도서관도 평가해주지 않았다면서.

"제 안에 도서관이 있는 이미지예요. 읽은 책을 책장에 넣어두는 이미지고요. 원할 때 꺼내서 만들 수 있는데, 다른 사람들은 책을 건드리기만 해도 거기에 적힌 글을 전부 이해할 수 있어요. 불필요한 지식을 간단히 배제할 수도 있고, 덤으로 복제도 간단히 할 수 있죠."

클라라 씨는 모든 면에서 능력이 낮다고 들은 모양이다.

뽀용뽀용은 클라라 씨가 꺼낸 책을 들어서 여러 각도로 살폈다.

"서포트를 하는 이유도, 학원이나 도서관에서 일할 수 없었기 때문이에요. 뭐, 여기에서 생활하면 좋아하는 독서를 할 수 있으니 만족하지만요."

클라라 씨는 설마 뽀용뽀용이 자신과 같은 아츠를 가졌다고는 생각지 못했던 모양이다.

그러나 뽀용뽀용은 책을 힘차게 닫아서 우리의 시선을 모으고는 말했다.

"유감이지만, 저는 아츠라는 게임 같은 스킬은 없어요. 시각 정보에서 데이터를 얻어 보존하고 있을 뿐이죠. 동시에 내용 이해도 진행하지만요."

나는 게임이니, 스킬이니 하는 말을 들으며 고개를 갸웃했다. 고대인의 말인가?

클라라 씨가 미안해했지만, 이 녀석한테는 그런 마음을 품지 않아도 된다.

"그, 그런가요. 실례했어요."

하지만.

"하지만 비관하실 건 없어요. 이건 근사한 능력이라고 생각하거든요."

나는 감탄했다. 뽀용뽀용이 저런 말을 하다니.

"너도 가끔은 다정함을 보여주는구나."

그런 내 감상에 뽀용뽀용은 불쾌한 표정을 지었다.

"뭐, 뭔데."

"저는 빈말을 싫어해요. 치킨 자식을 칭송하는 일은 있더라도, 다른 사람을 편애할 이유는 없어요. 그러니까 이건 순수한 평가에요."

클라라 씨가 조금 당황했다.

어떻게 대답해야 할지 모르는 모양이다.

"좋게 평가해주신 거죠? 감사하다고 해야 할까요?"

"치킨 자식 이외의 감사는 필요 없어요. 방해돼요. 근데 이 카피한 책은 사라지는 건가요?"

클라라 씨는 고개를 내저었다.

"보통은 일주일에서 2주일 정도면 사라진다고 하는데, 제 경우에는 사라지지 않아요. 도서관 사람들도 그건 놀라더라고요."

단, 혼자서 하루당 수백 권을 준비할 수 있는 건 아니라서 하루에 몇 권이 한계.

학원도 도서관도, 방치해도 문제없다고 생각한 모양이다.

뽀용뽀용이 의아해했다.

"책을 양산하기만 해도 먹고 살 수 있지 않나요? 아니면, 가게를 열어도 될 것 같은데요?"

클라라 씨는 부끄러워했다.

"하루 몇 권을 헌책방에 팔아봤자, 거기서 들어오는 돈으로는 생활할 수 없어요. 가게를 열 돈도 없어서 모험가로 일하고 있으니까요. 뭐, 장래에는 서점을 열고 싶긴 하지만요."

클라라 씨는 책에 둘러싸여 생활하는 게 꿈인 모양이다.

3대도 동의했다.

『좋네. 나도 하루 종일 독서하며 살고 싶어.』

귀족으로 태어나 영주가 될 수밖에 없었던 3대는 클라라 씨의 꿈을 응원하고 싶은 것 같다.

뽀용뽀용이 이 자리를 정리했다.

"그럼. 아무래도 좋은 이야기는 끝내기로 하죠."

"남의 꿈을 아무래도 좋다고 말하지 마."

클라라 씨는 아무래도 좋다는 말에 쇼크를 받고 있었다.

뽀용뽀용을 조금 다시 봤던 건 잘못이었던 것 같다.

뽀용뽀용이 짐수레를 건드렸다.

"저는 그런 장래에 실현 가능한 꿈보다는 치킨 자식의 명령이 우선이라고요! 자, 기초를 배웠으니 설계를 다시 해볼까요."

짐수레의 부품을 떼어놓는 뽀용뽀용을 보며 나와 클라라 씨는 얼굴을 마주 봤다.

뽀용뽀용의 태도를 사과하려 했지만, 클라라 씨는 기쁜 듯이 웃었다.

"왜 그러시죠?"

"조금 기뻐서요. 실현 가능하다고 인정해주셨으니까요. 다른 사람은 좀 더 여자의 행복을 생각하라거나, 그런 이야기를 하거든요."

……잘 모르겠지만, 클라라 씨에게는 기뻤던 모양이다.

제60화 표적이 된 파티

계절은 가을로 접어들고 있었다.

아람사스에 온 것이 여름이었으니, 어느새 석 달 가까이 시간이 흘렀다.

그동안 해온 일이라면, 뽀용뽀용에게 무예를 배우는 것과 짐수레를 만드는 것.

오늘도 밤늦게까지 창고에서 작업하던 나는 혼자 목욕탕에서 나와 하품을 했다.

"내일도 일찍 일어나야 하니까 이제 자야지."

노웸이 만들어준 야식이 맛있었다고 생각하며 거실로 들어오자, 피곤했는지 소파에 누워 자고 있는 여성이 두 사람.

아리아 씨와 소피아 씨다.

나는 무심코 눈을 돌렸다.

두 사람 모두, 아직 덥다고는 하지만 속옷 차림으로 누워있는 건 좀 아닌 것 같은데.

사크라이 자매의 집에서 생활하는 것도 익숙해져서, 아무래도 긴장감이 없어진 것 같다.

아리아 씨도 소피아 씨도, 딱히 색기 있는 속옷을 입은 건 아니다. 그러나 건강미 있는 팔다리나 배가 엿보였다.

매끈하고 건강미가 있는 아리아 씨와, 커다란 가슴을 강조

한 자세로 잠든 소피아 씨…… 눈 둘 곳이 곤란하다.

내가 집에 있다는 걸 의식하지 않는 게 아닐까?

"그러고 보니, 얼굴을 마주하는 것도 아침뿐인가?"

최근에는 다들 바빠서 집에 있는 일이 적은지라, 느긋하게 대화를 한 적도 없다. 나는 밤늦게까지 일하고, 식사도 따로 먹는 일이 많았다.

역대 당주들이 묘하게 흥분했다.

『두 사람 다 몸매는 좋단 말이지. 그래도 머리가…….』

『엉덩이 모양이 좋네.』

『아리아는 가슴이 조금만 더 있었다면 이상적이었겠군요.』

『둘 다 건강해 보여서 좋네.』

『하지만, 뭐랄까…… 색기가 없군요. 좀 더 수치심을 가지는 게 좋을 텐데.』

『너무 당당해서 반대로 색기가 느껴지지 않는군요.』

댁들의 취향 같은 건 안 물어봤어.

하지만 최근에는 기온도 내려가고 있다.

이대로 놔둬서는 안 될 것 같아서, 담요라도 덮어줄까 싶어 방을 나가려 했는데 미란다 씨와 마주쳤다.

"어라, 혹시 두 사람을 보고 있었어?"

손에는 담요를 들고 있고, 나를 보며 미소 짓고 있었다.

나는 갑자기 얼굴이 빨개졌다.

조금 전에 두 사람의 속옷 차림을 봤을 때 이상으로 빨개졌다.

마치 나쁜 짓을 하다가 들킨 듯한— 그래서 부끄러웠다.

미란다 씨가 그런 나를 보며 웃었다.

그대로 소파로 가더니 두 사람에게 담요를 덮어줬다.

처음 만났을 때처럼 다정함이 넘치는 모습을 보면서, 나는 미란다 씨의 진의를 알 수가 없어졌다.

최근에 미란다 씨가 집에서 대화하는 사람은 샤논과 클라라 씨. 때때로 뽀용뽀용 정도?

노웸과도 가사를 할 때 대화하는 정도고, 사무적인 이야기를 나누는 모습밖에 보지 못했다.

나는 신경이 쓰여서 물어봤다.

"미란다 씨. 하나 물어봐도 될까요?"

"뭔데? 혹시 내 속옷이 신경 쓰여?"

묘하게 색기를 내는 미란다 씨에게서 시선을 돌렸다.

얼굴이 더욱 빨개지는 걸 알 수 있어서 손으로 덮어 가렸다.

"귀엽네. 그럼, 농담은 여기까지만 하도록 하고 질문을 들어볼까?"

소파에 기대앉은 미란다 씨는 미니스커트인데도 발을 높이 들어서 다리를 꼬았다.

놀리는 것 같다.

"……미란다 씨. 어째서 저의 제일이 되고 싶다는 선언을 한 거죠? 미란다 씨 정도의 사람이라면, 뭔가 좀 더 능숙하게 했을 것 같은데요."

말이 잘 나오지 않는다.

그러나 미란다 씨 같은 사람이라면, 딱히 그런 선언을 해서 주변을 적으로 만들지 않고도 능숙하게 해나갈 수 있었을 거다.

실제로 예전에는 잠들어 있는 두 사람과도 사이좋게 지냈었다.

"좀 더 능숙하게, 라. 못하는 건 아니지만, 그러면 훨씬 끔찍한 일이 벌어질걸."

"끄, 끔찍한 일?"

"그래. 나와 노웸이 뒤편에서 파티의 주도권을 둘러싸고 질척질척한 다툼을 벌이게 되지 않을까? 아리아와 소피아는 분명 거기 말려들어서 큰일이 벌어질 거야."

대체 어떤 끔찍한 일이 벌어지는 걸까? 신경이 쓰이지만, 알아서는 안 될 것 같다.

"질척질척한가요?"

"마음만 먹으면 여러 수단이 있으니까. 그러니까 나는 그 선언을 해서 자리를 뒤흔든 거야. 민폐였지?"

솔직히 말하면 민폐지만, 그걸 책망할 수는 없달까……. 나는 어깨를 떨궜다.

"저는 좀 더 사이좋게 해나가고 싶은데요……."

미란다 씨는 표정을 바꾸지 않고 미소 지었다.

"알고 있어. 그래서 두 사람을 부추긴 거야."

어째서 내 소원을 알고 있는 미란다 씨가 두 사람을 부추긴 걸까?

이해할 수가 없었지만, 미란다 씨는 키득키득 웃었다.

"라이엘. 아는 사람 중에 하렘 파티가 있지?"

최근 알게 된 나르쿠스 씨 파티 말이겠지.

그 후에도 몇 번 길드에서 얼굴을 마주했고, 만나면 대화를 나누는 사이이긴 하다.

나르쿠스 씨 쪽은 파티의 여성진하고 잘 지내고 있는데, 우리 쪽은 삐걱대고 있다.

몇 번 상담을 해봤지만, 나르쿠스 씨도 두 손 드는 상태인 것 같다.

"남의 떡이 더 커 보이는 법이야."

"무슨 뜻이죠? 나르쿠스 씨 쪽은 무척 잘해나가고 있잖아요. 얼마 전에 새 동료도 들어와서 5인 파티가 되었고요."

미란다 씨가 대체 무슨 말을 하는 건지 궁금했지만, 그녀는 일어나서 돌아갔다.

"지금은 몰라도 돼. 그대로 모르는 것도 좋겠지만, 이것만큼은 기억해둬. 나는 라이엘을 위해 행동하고 있는 거야."

미란다 씨가 나가고, 아리아 씨와 소피아 씨의 숨소리가 들려오는 거실에서 나는 보옥을 쥐었다.

그러나, 역대 당주들은─.

『저 아이, 정말로 우리의 피를 잇고 있는 거냐?』

『저건 어머니 쪽 피의 영향일지도…….』

『여성이 많은 건 큰일이군요. 위가 욱신거리고 있어요.』

『……나는 이해할 수 없어.』

『미레이아의 증손녀가 어째서 저렇게…….』

『여자들의 질척질척한 싸움이라……. 보고 싶지 않군요.』

─역시 이 녀석들. 여성 관계에서는 도움이 안 된다.

갑자기 작은 잠꼬대가 들려왔다.

내용은 못 들었지만, 시선을 돌리자 담요를 걷어찬 아리아 씨의 모습이 눈에 들어왔다.

뭐랄까. 여자아이가 보여서는 안 되는 모습이다.

다리를 쩍 벌리고 있다.

2대가 나지막하게 중얼거렸다.

『색기가 없군.』

확실히 색기는 느껴지지 않는다.

속옷 차림이라서 가까이 다가가서는 안 될 것 같지만, 왠지 내버려 둘 수가 없어서 담요를 덮어줬다.

그리고 다리도 닫게 했다.

다가가니까 살짝 약 냄새가 났다.

"근육통 약인가?"

잘 보니 흉터도 많고, 약을 바르고 있었다.

근육통 약은 샤논도 자주 신세를 지고 있기에 냄새로 알아챘다.

5대가 살짝 웃었다.

『뭐야, 이 녀석들도 노력하고 있잖아. 집 안에서 삐걱대는 것보다 밖에서 스트레스 발산을 할 수 있어서 다행이네.』

다들 노력하고 있다. 그 말에 나는 입을 열었다.

"예전보다는 나은 걸까요? 제가 뭔가 하기보다는, 이렇게 자유롭게 놔두는 게 파티도 잘 돌아가는 걸까요?"

3대가 나를 놀리듯이 말했다.

『파티마다 다르지. 이 아이들은 우수하니까, 스스로 행동해도 잘 돌아가는 거야. 아니, 잘 이끌어준 건가.』

이끌었다? 누가?

물어봤지만, 3대는 『스스로 생각해봐』라면서 대답해주지 않았다.

나는 밤도 늦어졌기 때문에 방으로 돌아갔다.

아람사스 지하 미궁.

그 지하 3층에서, 나와 뽀용뽀용, 그리고 클라라 씨는 짐수레를 타고 미궁 안을 이동하고 있었다.

짐수레는 한 달 사이에 놀랄 만큼 성능이 올라가서, 미궁 안에서도 문제없이 움직이고 있다.

클라라 씨가 운전석에 앉아 조작 감각을 확인했다.

"이거라면 문제없겠네요. 저라도 문제없이 움직일 수 있어요."

뽀용뽀용이 짐받이에 올라타서 주변을 돌아봤다.

"마치 폐허 빌딩 같은 곳이네요. 하지만 그런 것치고는 천장도 높고 통로도 넓게 만들어져 있어요. 뭐랄까, 사람이 공략하기를 바라며 준비한 건조물이네요."

클라라 씨의 감상을 무시해버렸다.

"당연하잖아."

"당연한가요? 이 뽀용뽀용은 무척 신경이 쓰이는데요. 어째서 이런 편의주의적인 곳이 일부러 나오는 거죠?"

편의주의적인 곳이 아니다.

애초에 미궁은 위험한 곳이다.

아람사스 미궁은 관리되고 있기에 편리하게 느껴지는 거다.

"클라라 씨. 운전을 교대할까요?"

"괘, 괜찮아요."

즐거운 건지 조종에 집중하고 있다.

뜻밖의 일면을 보고 말았다.

나는 미궁 안을 즐겁게 이동할 수 있는 수단을 손에 넣었다.

"이 녀석으로 조금은 공략도 편해지면 좋을 텐―"

말을 끝내기 전에 뽀용뽀용이 내 말을 차단했다.

"―이크, 아무래도 부상자인 모양이네요."

클라라 씨가 짐수레를 멈추자, 조용해진 미궁 안에서 사람 목소리가 들렸다.

랜턴을 들고, 통로 안으로 향하자 그곳에는 부상을 당한 모험가들의 모습이 있었다.

지상.

우리는 부상을 당한 모험가들을 병원으로 옮겼다.

짐받이에 싣고 지상까지 돌아오자, 리더인 모험가가 몇 번이고 감사를 표했다.

상대는 눈에 눈물이 가득 고였다.

"고마워. 정말 고마워. 거기서 움직이지 못하게 돼서 이제 전멸하는 줄 알았어."

들어보니, 지하 5층에서 습격을 당했다고 한다.

상대가 끈질기게 공격을 가해온지라 어떻게든 피하며 겨우 지하 3층까지 올라왔지만, 체력이 한계에 달해서 움직이지 못하게 되었다고 한다.

습격한 건, 마물이 아니라 같은 모험가였다.

"무사해서 다행이네요."

나는 그렇게 말하며 떠나려 했지만, 그 모험가는 내게 금화나 은화가 들어간 지갑을 통째로 내밀었다.

"이렇게나 받을 수는……."

"아냐, 받아줘. 원래는 더 주고 싶을 정도야. 너희들 덕분에 무사히 짐을 지킬 수 있었고, 전원이 지상으로 돌아올 수 있었어. 정말 고마워."

거절해도 계속 건네주는지라, 나는 순순히 받기로 했다.

클라라 씨의 말로는, 습격을 당한 모험가들은 아람사스에서도 실력 있는 파티였다고 한다.

그들이 떠나가는 모습을 보면서, 그런 그들을 몰아세운 모험가들이 있다는 것에 놀랐다.

그나저나…… 나는 움켜쥔 지갑으로 시선을 내렸다.

4대가 꽤 즐거운 목소리로 말했다.

『……돈 냄새가 나는군요. 그것도 정말 극상의 냄새입니다.』

이 수전노, 뭔가 장사 수단을 떠올린 것 같다.

『라이엘. 지금까지는 길드와 미궁 입구까지의 이동을 장사로 써먹었지만, 앞으로는 미궁 안으로도 손을 뻗어보죠.』

나는 보옥을 쥐었다.

주변에 사람이 있기에 대답할 수 없는데, 4대의 입은 멈추지 않았다.

『돈을 벌어들이는 모험가들을 타깃으로 삼아볼까요. 그들에게 금화 한 닢이나 두 닢은 문제가 아닙니다. 그들을 상대로 길드에서 미궁 안— 지하 5층까지의 이동을 맡아주면 됩니다. 그거라면 금화를 낼 가치가 있어요! 덤으로 돌아오는 길은, 그곳에서 나오는 모험가들을 타깃으로 삼아서 지상으로 돌아오면 되는 겁니다!』

확실히 불가능한 건 아니다.

지하 5층에는 계층 이동 장치가 있다. 그것을 타고 원하는 계층으로 이동할 수 있기에. 많은 모험가가 이 층으로 향한다.

가는 길도 돌아오는 길도 무조건 사용한다고 봐도 좋다.

……할 수 있나?

클라라 씨가 나를 바라봤다.

"라이엘 씨. 아까부터 왜 그러시나요?"

"아, 아뇨. 잠시 장사 수단이 떠올라서요."

나를 본 클라라 씨가 어이없어했다.

"라이엘 씨. 보기보다 억척스러우시네요. 어떤 장사인가요?"

내가 4대의 제안을 이야기하자, 클라라 씨는 조금 복잡한 표정을 보였다.

"……무리는 아니지만, 어려울지도 몰라요."

"어째서죠?"

클라라 씨는 단순한 것을 지적했다.

"미궁은 왕래하는 동안에 내부 구조가 바뀌니까, 길을 헤매기도 해요. 마물이 나온다면 전투도 벌어지죠? 그때 짐에 피해가 생기면 책임을 질 필요가 있어요. 미궁 안에서 장사하는 건 위험하지 않을까요?"

마물의 습격을 받아서 맡은 짐을 잃어버리게 되면, 그냥 사과하고 넘어갈 수가 없다.

"……확실히 귀찮겠네요."

4대도 보옥 안에서 어깨를 떨궜다.

『그랬었죠. 지금은 아츠 사용이 금지되어 있군요. 주변 지형을 파악해서 마물의 위치를 특정할 수 있다면 편하겠습니다만.』

나는 떠올랐다

그러고 보니, 적임자가 한 명 있구나.

사크라이 자매의 집.

"싫어. 왜 내가 그런 탈것에 타야 하는 건데!"

나는 싫어하는 샤논을 억지로 짐차에 태웠다.

"됐으니까 타봐. 네 눈이 도움이 될 때가 왔다고."

내 생각이 옳다면, 이 녀석은 미궁 안에서 적을 감지할 수 있을 거다.

뽀용뽀용이 미궁 안의 통로를 익히고, 이 녀석이 적을 감지한다.

그러면 간단히 미궁 안을 이동할 수 있게 된다.

"왜 내가 네 말을 들어야 하는데! 그런 건 싫어!"

저항하는 샤논에게 짜증이 난 나는 혀를 찼다.

"지금 혀 찼지! 이 기둥서방 자식! 나한테까지 일을 시키다니, 그렇게까지 돈을 벌고 싶은 거야?"

샤논의 말에 클라라 씨가 나를 봤다.

"어, 라이엘 씨…… 기둥서방이셨나요? 그러고 보니, 최근 일하는 모습을 본 적이 없네요."

뽀용뽀용이 활기차게 말했다.

"안심하세요, 치킨 자식. 저는 치킨 자식이 기둥서방이라도 절대 버리거나 하지 않으니까요."

너희들. 그렇게 나를 기둥서방 취급하고 싶어?

어쩔 수 없기에 샤논 설득에 들어갔다.

"샤논."

"친한 척 이름 부르지 말아 줄래?"

이 녀석 정말로 열 받네.

"돈을 벌면 내게 용돈을 줄게. 돌아오는 길에는 과자를 잔뜩 사서 오자."

보옥 안에서 3대가 내 설득 방법에 불만을 토로했다.

『라이엘. 아무리 그래도 그런 설득 방법으로는—.』

그러나 상대는 바보 샤논이다.

"할래! 과자를 잔뜩 사겠어! 자, 당장 가자."

짐수레에 올라타고는 어서 가자는 듯이 우리를 재촉했다.

3대가 아연실색했다.

『……어? 진짜로? 이런 설득으로 협력한다고?』

5대가 조금 슬픈 목소리로 말했다.

『이 아이는 그거네. 바보야. 뭐, 마안을 갖고 태어난 것이 바보인 샤논이라 다행이라고 생각하자.』

미란다 씨가 마안을 가졌다면 큰일이 벌어졌을 거다.

바보인 샤논이 가지게 된 건 불행 중 다행이었을지도 모른다.

"좋아. 그럼 오늘부터 조금 벌어보자. 가능하면 한 달에 금화 열 닢 정도는 벌고 싶네."

내 발언에 클라라 씨도 수긍했다.

"그만큼 벌면, 이제 모험가를 할 의미도 없겠네요."

나는 클라라 씨를 보며 웃었다.

"좋네요. 같이 서점이라도 경영할까요?"

농담 삼아 한 말이었는데ー.

"어, 어서 가죠."

ー클라라 씨의 얼굴이 약간 빨개졌다.

샤논은 짐수레 핸들을 잡으며 의욕을 내고 있다.

뽀용뽀용은 나를 보더니 말했다.

"치킨 자식은 여자 홀리는 데 선수네요. 그래도 괜찮아요. 그런 쓰레기를 뒷받침하는 건 오토마톤에게는 꿈같은 이야기니까요."

나를 쓰레기라고 부르는 오토마톤을 수리해줄 사람 누구 없나?

ー이날. 소피아는 근육질의 강자에게 배틀 액스를 내리치고 있었다.

"하압!"

소피아의 일격은, 아츠를 사용해 중량을 늘린 일격이다.

그것을 강자— 도장주는 왼손으로 든 방패로 흘려내며 오른손으로 소피아를 후려쳤다.

소피아는 자신의 중량을 줄이고 일부러 크게 물러나 거리를 벌렸다.

도장주는 오른손에 든 검을 어깨에 멨다.

"좋은 움직임인걸. 아가씨."

그런 상대에게 소피아는 고개를 숙였다.

"지도. 감사합니다."

예의 바른 소피아를 본 도장주는 조금 어이없어하며 주의를 줬다.

"끝날 때까지 상대에게서 시선을 떼지 마. 아직 어설픈 부분도 많지만, 전위로는 합격이야."

소피아는 지난 몇 달 동안 어쨌든 전위로서 믿음직한 존재가 되기 위해 힘을 갈고닦았다. 도장주가 무기를 정리하고, 주변에 있는 근육질 문하생들에게 외쳤다.

"너희들. 아가씨를 본받아서 조금은 예의 바르게 있으라고."

소피아는 단기간에 기본적인 움직임을 배우기 위해서 도장에 입문했다.

예의범절이나 마음가짐 등을 배우는 곳이 아니라, 일단 실전 형식으로 바로 싸울 수 있는 전사를 육성하는 도장이다.

그런 곳에 있는 문하생들은 다들 말투가 거칠다.

"언니. 우리가 소피아 흉내를 내면 닭살이 돋는다고 했잖아요."

"이제 와서 꾸며봤자 상대가 없슴다."

"하아. 누가 남자 좀 소개해줘."

입을 모아 도장주에게 대답한 것은 노출이 많은 차림을 한 여성들이다.

그렇다. 이 도장에는 주로 여성들이 모인다.

따로 남성의 입문을 금지하는 건 아니지만, 도장주가 여성 이라서 자연스레 문하생들도 여성이 많이 모이고 있었다.

"너희는 그러니까 남자가 도망치는 거야."

소피아가 땀을 닦으며 무기를 놓았다.

평소에 입는 로브를 벗어서 노출이 많은 모습이지만, 여성 들만 있기에 신경 쓰이지는 않았다.

'어떻게든 형태는 잡혔네요.'

처음에는 실전 경험도 있다며 자신감을 가졌지만, 모험가로 서 일류인 도장주 여성에게는 통하지 않았다.

그렇기에 필사적으로 싸우는 법을 배워서, 소피아도 다부지 게 변했다.

"그보다도, 사용감은 어때?"

도장주에 말에, 소피아는 배틀 액스로 시선을 보냈다.

"아직, 실전에서 쓸 수 있을지는 모르겠어요."

도장주는 와하하 하고 호쾌하게 웃었다.

"하긴 그렇지! 연습만으로 잘해나갈 수 있다면 아무도 고생하지 않으니까. 뭐, 지금의 아가씨라면 주변의 연약한 녀석들에게 질 일은 없을 거야."

도장주의 보장을 받은 소피아의 긴장이 조금 풀렸다.

"가, 감사합니다!"

"조금만 더 어깨에 힘을 빼면 좋을 텐데, 그게 아가씨의 좋은 점이기도 하니 어렵나."

소피아의 고지식한 성격에 어이없어하면서도 칭찬한 도장주는 타올로 땀을 닦으며 전원에게 말했다.

"이것들아, 휴식은 끝이야! 무기 들고 휘두르기!"

여성진은 목소리를 높이고는 정렬해서 휘두르기 연습을 시작했다.

인근에서는 이 도장에 다니는 여성들을 『아마조네스』라 부르며 두려워했다.

소피아는 그런 곳에서 몇 달간 땀을 흘려온 것이다—.

저녁.

나는 내 지갑 안을 살폈다.

가죽 지갑에는, 금화가 열 닢이 아니라 30닢 이상 들어있다.

그리고 나는 깨닫고 말았다.

"……나. 어쩌면 이걸로 먹고살 수 있을지도 몰라."

지하 5층까지 보내주는 이송 서비스와, 지하 5층에서 지상까지 가는 짐 운반.

이건 정말로 돈이 된다.

지하 5층까지 편하게 가고 싶은 모험가들.

지하 5층에서 길드까지 가는 길을 힘들어하는 모험가들.

고작 하루 만에 꽤 많이 벌었다.

짐받이에서 축 늘어진 샤논을 봤다.

"야, 괜찮냐?"

"……이제 무리. 못 움직여."

미궁은 마력이 짙은 곳이며, 처음 들어간 사람은 아무튼 멀미에 걸린다.

그 이유도 있고, 처음 한 일이라서 지치기도 한 것이리라.

최근에는 몸을 움직여서 체력이 늘었다고는 해도, 기본적으로는 지금까지 거의 몸을 써본 적 없는 운동 부족 여자다.

단순히 지쳐서 뻗어버린 거다.

클라라 씨는 상상 이상으로 거금을 벌어서 곤혹스러워했다.

"하, 하루 만에 이런 금액을 벌다니……."

운도 좋았지만, 그 이상으로 최근에 눈에 띄었던 것이 좋았다.

말이 필요 없는 짐마차로 유명해져서, 시험 삼아 타보려는 모험가가 많았다.

덕분에 손님을 찾는 것도 곤란하지 않았다.

뽀용뽀용도 크게 기뻐했다.

"이만큼 있다면 이 아이를 좀 더 개조할 수 있겠네요. 치킨 자식!"

확실히 개조 비용에 곤란할 일은 없어졌다.

클라라 씨에게 줄 보수나, 샤논의 과잣값을 빼도 충분히 남는다.

보옥 안의 4대가 흥분해서 시끄럽다.

『이게 대체 뭡니까! 고작 하루 만에 금화 30닢이라니! 이거라면 몇 대씩 준비해서 정기편을 만들면 안정적으로 모험가의 수송이 가능하겠군요. 그걸 관리한다면, 대체 얼마나 많이 벌 수 있을지……!』

5대가 고함쳤다.

『닥쳐, 수전노! 애초에 장사하는 게 목적이 아니라고!』

성실하게 모험가를 하는 게 바보 같아지는 돈을 벌고 말았다.

그러나 나로서는 여기서 일단락을 지으려고 한다.

"……데미언에게 가볼까."

클라라 씨가 고개를 갸웃했다.

"데미언 교수님에게, 말인가요? 이제 완성했다고 보시는 건가요?"

개조한 짐수레를 봤다. 확실히 완성했다고 봐도 좋은 완성도다.

"아니. 잠시 생각이 있어서요. 게다가, 최종적으로 움직이고 싶은 건 창고에 있는 장갑차니까요."

"여전히 움직이실 생각이신가요?"

클라라 씨의 시선에는 딱히 감정이 없었다. 어이없어하는 것도, 화가 난 것도 아니다.

그저 나를 보고 있을 뿐이다.

"안 될까요? 저거, 꽤 마음에 드는데요."

두꺼운 장갑.

투박한 외견.

심플한 디자인.

뭐랄까, 가까이서 보고 있으면 애착이 생긴다.

게다가 이건 아무리 개조했다고 해도 그냥 짐수레다. 지하 30층은 위험하다.

마물이 습격해오면, 일격에 격파되어 움직이지 못하게 된다.

"당초 목적도 있으니까요. 저희는 지하 30층을 공략하기 위해 이것저것 준비하고 있는 거라서요."

그 말에 클라라 씨가 감탄했다.

"목적을 잊지 않으셨네요. 그냥 짐수레 개조에 빠져계신 줄 알았어요."

나는 시선을 돌렸다.

"그, 그렇지는 않거든요?"

보옥 안의 6대가 나를 놀렸다.

『정말이냐? 너, 때때로 콧노래를 부르며 작업하고 있던데. 꽤 즐거웠지?』

개조할 때 종종 끼어들었던 사람이 할 말은 아닌데.

의외로 이런 걸 좋아하는 일족일지도 모른다.

뽀용뽀용이 짐받이에서 움직이려 하지 않는 샤논을 막대기로 찔렀다.

"슬슬 돌아갈까요? 데미언 교수의 연구실로는 내일에라도 찾아가기로 하고, 오늘은 돌아가는 게 좋을 것 같은데요. 샤논도 녹초가 됐어요."

과자를 위해 과하게 애쓰다니, 바보 같은 녀석이로군.

"클라라 씨도 저녁 식사를 하고 가실래요?"

"그럴까요. 그보다, 최근에는 대접만 받네요."

쓴웃음을 지는 클라라 씨가 조금 귀여워 보였다.

―작은 방에 세 명의 남자가 그룹을 만들었다.

한 명은 학원 교복을 입은 남학생― 귀족 도련님.

맞은편에는 두 명의 모험가. 한 명은 젊고, 다른 한 명은 장년이라 수염을 기르고 있다.

학생, 【루돌】은 테이블 위에 금화가 든 주머니를 내려놨다.

"선금이다."

두 모험가가 안을 확인하자, 약속한 돈이 있었기에 이야기를 들을 자세를 취했다.

젊고 껄렁한 모험가 【자르사】가 의뢰 내용을 재확인했다.

모험가지만 정장 차림, 근처에는 자랑하는 검을 놔두고 있다.

그는 아람사스에서도 손꼽히는 검사로, 신사로도 유명했다.

"이제 당신은 우리 의뢰인이야. 의뢰 내용은 특정 파티 습격. 특정 인물 이외의 살해가 맞나?"

루돌은 팔짱을 끼고 불쾌한 표정을 지었다.

모험가와는 이야기하고 싶지 않다는 마음이 태도로 드러나는데 숨기지도 않는다.

태생적으로 귀족으로 자라서, 자신이 윗사람이라고 믿어 의심치 않는 태도.

"그래. 미란다 사크라이를 손에 넣겠어. 그 여자의 친가는 궁정 귀족 자작가야. 내가 데릴사위로 들어가기에 어울리는 가문이니까. 당장 되찾고 싶어."

미란다를 노리던 남학생 중 한 명인 루돌.

그는 친가에 돈을 내달라고 해서 모험가를 고용했다.

두 사람에게는 성급한 행동으로 보였다.

"옛 백작가인지 뭔지는 모르겠지만, 그런 녀석이 언제까지나 끼고 다녀도 되는 여자가 아니라고."

자르사는 자신의 긴 머리를 손끝으로 매만졌다.

"이미 더러워진 꽃에 그렇게까지 집착하는 이유를 모르겠는데. 뭐, 지위를 손에 넣는다면 그 정도도 참을 수 있는 건가?"

"입조심 하시지. 모험가. 너희는 일만 완수하면 돼."

"흠. 확실히 그렇지. 하지만 우리에게도 즐거움이 필요해. 그 라이엘 파티 말인데, 끼고 있는 여자들이 모두 아름다운 꽃이라잖아. 동료들도 꼭 함께 즐기고 싶다고 하더라고."

세련되게 차려입기는 했지만 천박한 미소를 지은 자르사를 보고, 루돌은 내뱉듯이 말했다.

"겉으로 드러나지만 않는다면 마음대로 해. 문제만 일으키지 말라고."

"뭐, 즐긴 뒤에는 정리하는 게 매너니까. 길드 카드만 조심한다면 아무 문제도 없어."

자르사는 라이엘과는 딱히 얽힌 게 없지만, 마음에 들지 않는다는 이유로 학생의 계획에 편승하려 했다.

문제가 있다면, 모험가의 생사를 판단하는 길드 카드다. 길드 카드는 두 장 존재하고, 한 장은 모험가 본인이 가진다.

다른 한 장은 길드가 보관하며, 새겨진 이름을 지우는 흔적이 생기면 소유자의 사망을 확인할 수 있는 물건이다.

모험가 길드는 길드 카드로 모험가의 생사를 판단한다.

때때로 모험가 길드에서 수색, 조사 목적으로 모험가를 파견하기도 한다. 수염 난 모험가 【베닐】은 그렇게 되면 성가시다고 중얼거리며 의뢰에서 신경 쓰이는 점을 확인했다.

키는 작지만, 두꺼운 근육과 지방을 가지고 있어서 체격이 좋다. 그의 자랑거리는 그 근력으로 커다란 망치를 휘두르는 것.

마물이든 사람이든, 베닐은 눈앞을 가로막은 자를 항상 짓뭉개왔다.

"소유물도 우리 쪽에서 자유롭게 써도 되겠지?"

루돌은 짜증을 냈다.

"마음대로 하라고 했을 텐데. 가난뱅이의 짐에는 흥미 없어. 그리고, 시골뜨기 귀족 라이엘이라는 녀석은 한껏 괴롭혀 줘. 나의 미란다를 더럽힌 응보를 받아줘야지."

「나의」라고 말하기는 했지만, 애초에 루돌은 미란다를 사랑하지 않는다. 미란다와 결혼함으로써 들어오는 지위를 원할 뿐이다.

미란다는 덤이지만, 손에 넣기 전에 더러워졌다고 생각하니 화가 치민다.

그런 마음이 있다는 것을 자르사도 베닐도 눈치챘다.

"그 녀석들이 미궁에 들어가는 날을 알게 되면 알려라."

루돌이 나가자, 베닐이 살짝 한숨을 내쉬었다.

"건방진 귀족 꼬마군."

자르사가 자기 손톱을 보며 이야기했다.

"돈만 주면 문제없지. 그나저나, 우리의 습격을 받고 도망치는 여성을 구해주며 신용을 얻겠다니, 잘도 그런 생각을 하는군."

자르사는 바보 취급하듯이 웃었다.

두 사람은 지인이다.

모두 모험가를 노리는 악질적인 자들인지라, 협력 관계였다.

"미궁 안에서 제멋대로 날뛰고는 있었지만, 이런 의뢰는 처음이야."

자르사에게는 칭찬해줄 수 없는 취미가 있었다.

"말해두는데, 내가 찾아낸 꽃들은 양보할 수 없어."

베닐은 살짝 웃었다.

"마음대로 해. 너도 참 별나군. 모험가 여자를 꽃이라 부르며 귀여워하다니. 그런 녀석들에게 욕정하는 괴짜 녀석."

여성 모험가는 대부분 가혹한 환경 탓에 남성화가 진행된다.

그렇기에, 남성 모험가들은 그녀들을 이성의 대상으로 보지 않는 경우가 많다.

자르사는 히죽히죽 웃었다.

세련되게 차려입기는 했지만, 그의 성격은 썩었다.

"강한 여자를 깔아뭉개서 유린하는 게 재미있는 거라고."

"그런가. 뭐, 나는 네가 그만큼 일해준다면 문제없어."

미궁 안에서 악행을 벌이는 두 모험가는 라이엘 습격 계획을 진행했다—.

제61화 이름은

데미언의 연구실.

뽀용뽀용이 릴리 씨와 으르렁대고 있다.

"양산품 주제에 조금 좋은 이름을 받았다고 얕보지 말라고요!"

"어머, 뽀용뽀용씨. 그 말은 제가 더 근사한 이름이라는 걸 인정하는 건가요. 네, 그럼요. 제 주인님은 근사하고, 그리고 릴리라는 멋진 이름을 주셨죠. 그런데 당신은 뽀용뽀용...... 그거, 이름인가요?"

뽀용뽀용은 울상을 지으며 거대한 망치를 들었고, 릴리 씨는 빗자루를 들었다.

"치킨 자식을 바보 취급했나요! 치킨 자식한테 바보 취급을 해도 되는 건 저뿐이라고요!"

나는 한숨을 내쉬었다.

"야, 여기서 날뛰지 마. 민폐잖아."

내가 가져온 개조 짐수레와 설계도를 교대로 바라보던 데미언도 같은 의견이었는지 릴리 씨를 노려봤다.

"지금 바빠."

두 사람은 혼이 나자 슬픈 듯 어깨를 떨궜지만, 바로 자세를 바로잡고 의연한 자세로 섰다. 언제나 저랬으면 좋겠다.

데미언은 개조 짐수레를 보면서 설계도에 수정을 가했다.

"형태는 나쁘지 않고, 볼만한 부분은 많지만, 마구에 관한 지식은 초보 중의 초보. 아직 더 개량할 수 있지 않을까?"

설계도를 보니까, 뭐가 적혀있는지 모르겠다.

글자가 더럽다거나 그런 이유가 아니라, 너무 수준이 높아서 따라갈 수가 없는 거다.

내가 곤란해하고 있는데, 뽀용뽀용이 설계도를 들여다봤다.

"과연, 여기를 이렇게—."

"그래. 이러는 게 파워가 더 나올 거야. 그리고 이쪽은—."

"그럼 이쪽을—."

설계도가 수정되어갔다.

"어떻게 될 것 같아?"

뒤에서 바라보던 내가 묻자, 뽀용뽀용이 돌아봤다.

"기뻐해 주세요, 치킨 자식! 이러면 장갑차가 움직일지도 몰라요!"

"정말이야?"

설마 그 무거운 장갑차가 움직일 줄은 몰랐다. 그게 움직인다면 확실히 믿음직하다.

데미언은 턱에 손을 대고 몇 번이나 끄덕이면서 설계도를 바라봤다.

"여러모로 재미있는 탈것이야. 이거, 말이 필요 없어지지 않을까?"

나는 어깨를 으쓱했다.

"아무리 그래도 그건 무리 아닐까. 마법을 쓸 수 있어야 하는 게 전제니까, 쓸 수 있는 사람의 절대수가 적어."

말투는 나쁘지만, 클라라 씨처럼 마법을 아슬아슬하게 쓸 수 있는 사람이라도 조작할 수 있다는 건 강점이다. 그러나 세상에는 마법을 쓸 수 있는 사람이 적다.

개조한 짐수레를 바라본 데미언이 히죽거렸다. 분명 흥미가 자극된 것이리라.

"하나 묻고 싶은데, 이것의 이름은 뭐지?"

나는 고개를 갸웃했다.

"짐수레."

"그냥 그대로?"

"응."

"흐~음."

데미언은 그대로 이름에는 흥미를 잃어버렸는지 짐수레의 구조 등을 보며 즐기고 있었다.

그 모습을 릴리 씨가 몽롱한 눈으로 바라봤다.

"아아, 오늘도 제 주인님이 너무 멋져요."

기본적으로 자신이 흥미 있는 것 말고는 아무것도 하지 않는 데미언을 군침이라도 흘릴 기세로 보고 있다.

역시 그녀들이 망가진 게 아니라, 오토마톤이라는 건 기본적으로 다 저런 건가?

반대로 뽀용뽀용이 분통해했다.

"우, 우리 치킨 자식도 뒤지지 않을 만큼 못난 인간이거든요!"

나는 정정하지 않을 수 없었다.

"내가 어디가 못난 인간인데. 애초에 왜 못난 인간으로 경쟁하는 거야?"

두 사람 모두 얼굴을 마주 보더니, 몸을 뒤틀며 뺨을 붉혔다.

"그건 못난 인간인 편이 모실 보람이 있으니까요. 저는 치킨 자식이 좀 더 못나게 돼서 저를 혹사시켜주는 걸 기다리고 있어요!"

"늠름한 주인님도 근사하지만, 제가 없으면 생활할 수 없는 주인님이 더 자극되니까요. 저희 오토마톤에게 가장 근사한 분은 시중을 들게 해주는 주인님이니까요."

……이해하기 힘들다.

─아리아는 졸린 듯이 눈을 비볐다.

계절은 가을로 바뀌고 있어서 최근에는 쌀쌀해졌다.

오늘은 학원도 도장도 예정이 없다.

아침부터 느긋하게 자고 있었는데, 밖에서 들려오는 소리에 눈을 떴다.

뜰로 나온 라이엘과 샤논이 아침부터 기묘한 포즈를 취하고 있다.

"자, 오늘도 시작은 평소의 자세부터 하죠!"

"사나운 참새의 자세!"

"자세!"

일부러 공을 준비해서 그 위에 널빤지를 놓고 포즈를 잡았다. 균형을 잡는 게 어려운 상황임에도, 두 사람은 확실히 자세를 잡았다.

창가에서 그 모습을 지켜보는 아리아에게는 매우…….

"역시 얼빠진 것처럼 보이네."

양손을 날개처럼 들고, 한쪽 발을 든 빈틈투성이 자세.

뽀용뽀용은 두 사람이 진지하게 자세를 잡는 모습을 웃으며 지켜봤다.

그러나 라이엘과 샤논은 진지함 그 자체.

때로는 말다툼도 하지만, 보고 있으면 사이좋은 남매 같다.

아리아는 기지개를 켰다. 예전보다 조금 키가 자랐다.

몸은 더욱 탄력이 늘어났다.

아람사스에 와서, 소피아와는 다른 도장에 다닌 성과다. 방 안에는 무구가 놓여있지만, 평소에 사용하는 창 말고도 단창이나 나이프 같은 것들도 이것저것 놓여있다.

"그나저나, 최근에는 지내기 편해서 좋네."

얼마 전까지는 땀에 젖어서 깨던 걸 생각하면, 기온이 내려가서 지내기 편해진 건 아리아에게는 고마운 일이었다.

"오늘은 어딘가로 나가볼까."

옷을 갈아입고 방에서 나오자, 그곳에서 마주친 것은 미란다였다.

거북한 분위기. 그러나 미란다는 신경 쓰지 않았다.

"좋은 아침, 아리아. 꽤 잘 자더라. 아침 식사라면 테이블에 놔뒀어."

평소와— 예전과 다름없는 태도.

때때로 보이는 속 시커먼 기질도 지금은 겉으로 드러내지 않고 있다.

"어색하네. 너, 대체 어느 성격이 진짜인 거야."

미란다는 키득키득 웃었다.

처음 재회했을 때의 다정한 미란다.

라이엘을 원한다고 하며 자신들의 사이를 흐트러뜨린 미란다.

아리아에게는 다른 사람 같았다.

"딱히 하루 종일 싸울 필요는 없으니까. 그러면 피곤하잖아. 게다가 라이엘도 음습한 건 싫어하는 모양이라서."

"……그건, 라이엘이 신경 쓰지 않으면 뒤에서 이것저것 하겠다는 뜻? 여자끼리의 질척질척한 대화나 싸움은 나도 싫어."

아리아는 입보다 손이 먼저 나가는 타입이다.

털털한 성격이라, 여자 특유의 대화나 싸움을 싫어한다.

미란다는 어깨를 으쓱했다.

"그렇겠지. 아리아는 털털해서 남자 같으니까. 하지만 아무리 그래도 속옷까지 탈의실에 던져 넣는 건 별로 좋아 보이지 않네. 라이엘이 곤란해하더라."

아리아의 얼굴이 빨개졌다.

"내, 내 거 아니거든!"

미란다는 히죽히죽 웃었다. 아리아는 부정했지만, 혹시 그날 일인가? 같은 생각이 드는 날이 수없이 많았다.

'서, 설마 보고 있었다니!'

"조금은 조신하게 굴지 않으면 라이엘이 기겁할걸. 그나저

나, 라이엘은 한 달 후에는 미궁에 도전할 거야. 준비는 확실
히 해둬.”

조금 얼굴을 붉히던 아리아는 그 이야기에 의식이 가버렸다.

“겨우? 돈이 궁해졌어?”

몇 달이나 일하지 않았다.

거금을 가지고 있기는 했지만, 이곳은 아람사스. 학원도 그
렇고, 도장도 그렇고, 배우려면 돈이 든다. 아리아는 슬슬 호
주머니 사정이 어려워졌을 거라 짐작했다.

‘우리가 돈을 꽤 많이 썼으니까.’

아리아는 민폐를 끼쳤다고 생각했지만, 자기 혼자 미궁에
들어갈 수도 없다. 파티가 함께 행동하고 있기에 제멋대로 행
동할 수는 없었다.

그러나, 미란다는 어이없어했다.

“혹시 몰라?”

“어?”

“라이엘. 최근에 금화 수백 닢은 벌어들였는데.”

그 말에 아리아는 경악했다.

“거짓말!”

미란다는 조금 기뻐하면서 최근의 라이엘에 관해 이야기해
줬다.

“정말이야. 데미언 교수님의 연구실에 다니며 클라라와 함께
짐수레를 개조하고 있거든. 그거 있잖아. 멋대로 움직이는 거.”

“아, 그거 말이지. 근데 그런 걸로 돈을 벌 수 있어?”

최근에는 아리아도 바빠서, 라이엘이 뭘 하고 있는지 거의 파악하지 못했다.

그래서 라이엘이 거금을 벌었다는 건 몰랐다.

"그걸로도 먹고 살 수 있을 정도야. 뭐, 본인은 지하 30층을 공략하려는 것 같으니까, 그걸 본업으로 삼지는 않는 것 같아. 조금 아깝긴 하지만, 라이엘다워서 좋아."

놀기만 한다고 생각하지는 않았지만, 그래도 요즘 상황을 보면서 대체 아람사스에 뭘 하러 온 건가? 하는 의문을 품고 있던 아리아는 라이엘의 근황을 듣고 웃을 수밖에 없었다.

"그, 그 녀석도 제법이네."

미란다는 청소 도중이라면서 아리아와 헤어졌다.

그리고 떠나갈 때.

"그러니까 준비는 확실하게 해놔. 그리고…… 앞으로는 어이없어지는 일이 없기를 기대할게. 아리아."

도발하며 떠나간 미란다의 등을 보며, 아리아는 미묘한 표정을 지었다.

"……역시, 미란다는 성격이 안 좋네."

그렇게 중얼거린 아리아는 거실로 향했다.

"맞다. 라이엘에게 확실히 확인을 받아야지."

그리고 한 달 후의 예정이 어떤지 이야기를 들으려 갔다─.

─미란다는 아리아의 등을 바라봤다.

'제대로 확인하러 가는 것 같아 다행이네.'

한 달 후에 미궁으로 간다는 말을 들은 아리아가 어떻게 움직일지 신경이 쓰였던 미란다는 마음 놓고 가사로 복귀했다.

소피아는 외출했기에, 이야기는 돌아오고 나서 하기로 했다.

'그쪽은 밤이라도 라이엘에게 세부 사항을 확인해준다면 합격이겠어.'

지금까지는 전부 라이엘이나 노웸이 계획을 세웠고, 두 사람은 무조건 결정에 따를 뿐이었다. 그래서 스스로 확인하는 것을 게을리해왔다.

'조금은 재촉한 성과가 나오는 것 같아서 다행이네.'

미란다는 자신의 행동으로 인해 두 사람이 떨쳐 일어나준 것에 안도했다—.

창고 안.

나는 아침부터 긴장하고 있었다. 뽀용뽀용도 오늘은 진지한 표정이다.

"치킨 자식, 여기요."

내가 받은 것은 양손으로 끌어안을 수 있는 사이즈의 원기둥형 물체다.

남은 부품. 손바닥 사이즈의 유리구슬 두 개를 넣은 그것은 지금부터 붙일 머리 부분이다.

클라라 씨가 안경을 벗어서 소매로 눈물을 닦았다.

"마침내 여기까지 왔네요."

지금까지 짐차를 개조하면서 시행착오를 반복하는 나날을

보내왔지만, 모든 건 오늘 이날을 위해서였다.

도중 참가한 샤논이 장갑차 앞에서 고개를 갸웃했다.

"저기, 그런데 어디에 붙일 거야?"

외견상으로는 전혀 변하지 않은 장갑차지만, 사실 내부는 꽤 많이 변했다.

안에 있던 사용할 수 없는 기계를 들어내고, 마구를 채워 넣었다.

내부 구조도 깔끔하게 치워서 짐을 쌓을 수 있게 만들었다.

나는 머리 부분을 소중히 안으며 장갑차로 시선을 돌렸다.

머리 부분을 붙이는 이유는, 데미언이 마법을 조작할 때 편리하다는 조언을 해줬기 때문이다.

투박하기만 한 차체의 분위기를, 어딘가 얼빠진 머리 부분의 애교가 부드럽게 풀어줄 거다.

확실히 그동안 작업해왔던 짐수레도 좋았지만, 이렇게 머리 부분을 붙이게 되니 더더욱 애착이 생겼다.

"……역시 한가운데?"

클라라 씨가 제지했다.

"그건 너무 단순하지 않을까요? 애초에 천장 중앙이 낫지 않나요?"

뽀용뽀용이 부정했다.

"거기에 설치하면 짐을 올릴 때 방해가 될 텐데요."

샤논은 차내를 가리켰다.

"밖에 얼굴이 있다니 불쌍하잖아. 안에 붙이지 그래?"

우리가 말다툼을 시작하자, 보옥 안의 역대 당주들도 똑같이 싸웠다.

『머리니까 한가운데인 게 당연하지!』

『그러니까 거기라면 방해된다잖아!』

『여러분, 냉정해지세요. 그냥 안에 설치해도 되지 않습니까.』

『조작의 정밀도에 관련된 문제니까 중요하잖아!』

『하지만 머리만 있으면 쓸쓸하겠군요. 여기서는 역시 팔이 필요한 게 아닐지?』

『처음에는 그냥 상자라고 생각했는데, 이렇게 보니 투박하고 웅장한 게 근사한 외견이로군요.』

떠들썩한 우리들, 그리고 보옥 안의 역대 당주들.

그런 가운데, 유일하게 냉정한 건 아리아 씨였다.

내게 용건이 있다고 해서 창고로 찾아왔다.

"아니, 붙이기만 하면 될 뿐이니까 어디든 상관없잖아."

흥미 없어 보이는 건 알고 있었지만, 그렇다고 어디든 상관없다는 발언은 용납할 수 없다.

보옥 안의 역대 당주들도 크게 분노했다.

『바보는 입 다물고 있어!』

『중요하다고. 어째서 그걸 모르는 거야!』

『나 원 참. 어째서 이해하지 못하는 건지.』

『이런 건 꽤 중요하다고. 그런데 흥미도 없는 녀석이 끼어들기는…….』

『지금까지 얽히지 않았으니 애착도 없는 거겠죠.』

『이 녀석의 좋은 점을 모르다니 안타까운 아이로군요.』

보옥 안이 떠들썩하다.

당연히 뽀용뽀용도 가만히 있지 않았다.

"거기, 저와 치킨 자식이 만든 사랑의 결정 앞에서 무례하네요."

클라라 씨가 냉정하게 자기 주장했다.

"저도 제작에 협력했는데요."

샤논도 마찬가지다.

"나도 도와줬는데!"

아리아 씨가 머리를 긁적였다.

왠지 최근 무척 남자 같아졌네…….

"아니, 붙이기만 하는 거니까 어디든 상관없잖아. 방해되지만 않으면 된다고 하면, 여기라도 된다고."

내게서 머리 파츠를 가져가더니, 그대로 장갑차 전방 오른쪽에 올렸다.

본인은 흥미도 없고, 당장 볼일을 끝내고 싶은 낌새였지만…….

"……좋네."

왠지 한가운데에 있는 것보다도 괜찮았다.

클라라 씨도 감탄했다.

"이건…… 때로는 무관계한 사람의 의견도 바보 취급할 수 없네요. 한가운데에 있는 것보다 좋은 것 같아요."

전방 부분에 있어서, 앞에서 보면 확실하게 보인다.

덤으로 한가운데가 아닌데도 그쪽에 눈이 가고 만다.

조금 밸런스가 안 좋은 것 같기도 하지만, 왠지 그게 좋다!

역대 당주들도 손바닥을 뒤집어서 아리아 씨를 칭찬했다.

이 녀석들 정말 자기 멋대로다.

『왠지 좋은데. 그래, 가끔은 바보도 도움이 되는군.』

『아리아. 너는 하면 되는 아이라고 믿고 있었어.』

『한가운데가 아니라 오른쪽. 확실히 좋군요.』

『여기가 무난하다면 무난한가.』

『기능성을 저해하지 않는, 괜찮은 배치 아닙니까.』

『손이 닿는 곳이 거기였던 것 같기도 하지만…… 확실히 좋군요.』

나는 아리아 씨를 돌아보며 양손으로 손을 잡았다.

"고마워요, 아리아 씨. 이걸로 이『포터』는 완성됐어요."

아리아 씨는 주변 반응에 곤혹스러워하면서, 내 감사를 이해할 수 없다는 표정을 지었다.

"어? 괘, 괜찮아? 그보다, 포터?"

그렇다. 지금까지 짐수레라고 불렀지만, 나는 깨달았다.

이미 이건 짐수레가 아니지 않을까?

넓은 의미로는 짐수레인 게 틀림없지만, 이미 같은 짐수레와 비교하면 다른 물건이다.

그러나 장갑차라 부르는 것도 쓸쓸하다.

개를 개라고 부르는 기분이다.

그래서 나는 이름을 붙였다.

나는 짐 속에서 작명에 관한 책을 꺼냈다.

클라라 씨에게 받은 책이다.

"실은 이걸 보고 이름을 생각했어요."

클라라 씨가 놀라며 돌아보자, 샤논이 시선을 돌렸다.

뽀용뽀용이 머리를 붙이기 위해 들고 있던 공구를 그 자리에서 떨어뜨렸다.

당장에라도 울 것 같은 표정이다.

"……치킨 자식. 이건 대체 어떻게 된 일이죠?"

나는 고개를 갸웃했다.

"아니, 다들 이름이 중요하다고 해서 진지하게 생각했다고."

뽀용뽀용이 트윈테일을 마구 흔들며 외쳤다.

"포터! 귀여운 이름이잖아요! 그런데 왜 저는 아직도 뽀용뽀용인데요! 제 이름도 진지하게 생각해주세요!"

뽀용뽀용은 자기보다 먼저 제대로 된 이름이 붙은 장갑차를 부여잡으며 울었다.

"포터, 당신은 어엿한 이름이 붙어서 다행이네요. 저는 뽀용뽀용이라고요. 뽀용뽀용. 책을 참고하면서까지 이름을 고민해준 당신이 부러워요."

모두 나를 힐끔힐끔 바라봤다.

「당장 제대로 된 이름을 지어주라고」라는 듯한 분위기가 싫다.

나는 시선을 돌렸다.

"……나, 나중에 생각해볼게."

클라라 씨가 어이없어했다.

"전에 책이 필요하다고 하셨을 때는, 뽀용뽀용 씨 때문이라고 생각했었는데요."

주변 분위기가 나를 책망하는 걸 틈타서 샤논이 내게 비아냥거렸다.

"정말로 너는 최악이네. 나라면 그나마 나은 이름을 생각했을 거야."

그러나 여기서 뽀용뽀용이 진지한 표정을 지었다.

"아뇨. 당신한테 이름을 받을 바에는 뽀용뽀용이 나아요."

"어째서야!"

샤논이 화를 내며 사나운 참새의 자세를 잡았지만, 아리아 씨는 어째서인지 이마에 손을 댔다.

"아니, 이제 아무래도 좋으니까. 그보다도, 한 달 뒤에는 미궁이잖아. 어디까지 갈 거야?"

나는 팔짱을 꼈다.

"한 달 뒤에는 진짜로 지하 30층을 노릴 거예요. 2주일 뒤에 전원의 세세한 연계를 확인하기 위해 한 번 들어가 보고 싶긴 한데요."

아리아 씨가 끄덕였다.

"2주일 뒤지? 알았어. 준비는 해두겠지만…… 진짜로 갈 때는 어쩔 거야? 우리만으로 도전할 거야?"

나는 잠시 고민했다.

"포터의 시운전에 달렸겠죠. 인원은 역시 필요하겠지만, 얼마나 규모를 모아야 하는지 정하지 않았으니까요."

제62화 장갑차

―어느 여관 방.

그곳에 남자 세 명이 모였다.

테이블에는 술이 놓여있고, 마시고 있는 이는 자르사와 베닐이다.

의뢰주인 루돌은 의자에 앉아있었다. 짜증을 내며 다리를 떨고 있다.

"이봐, 녀석들의 예정은 알아냈겠지?"

베닐이 술을 마시면서 메모 한 장을 놓았다.

"미궁에 들어갈 예정이 어떤지 직원한테 물었어. 직원 중에 불만을 가진 녀석이 있어서, 물어보는 데 고생하지는 않았지."

루돌은 종이를 빼앗듯이 가져가서 향후 계획을 확인했다.

"……일주일 뒤에 미궁에 들어가는군. 여기서 습격해라."

자르사가 살짝 웃었다.

'소인배가 기고만장하기는.'

내심 루돌을 바보 취급했지만, 말투는 정중했다.

"그건 추천하지 않네요. 게다가 준비도 필요하니까 두 번째로 들어갈 때 매복하기로 하죠."

첫 번째는 지하 10층까지 갈 예정.

두 번째는 지하 30층을 공략할 예정이라 적혀있었다.

직원이 세세하게 물어본 모양이라, 지하 30층 보스를 공략한다는 정보도 얻을 수 있었다.

베닐이 잔에 든 술을 들이켰다.

"돈을 벌어서 피곤해졌을 때를 노리자. 싸울 때를 노리느냐, 아니면 매복하느냐는 그때 정하기로 하고."

계층 이동 장치가 있는 건 지하 5층에서 25층까지.

25층에 도달해서 다른 모험가들에게 구조를 요청하면 귀찮아진다.

자르사가 자신의 깨끗한 손톱을 바라봤다.

손질을 빼먹지 않고 있기에 오늘도 깨끗하게 빛나고 있었다.

"이런 습격은 준비가 중요하니까요. 도망치지 않도록 계층을 조사하고, 함정을 쳐서 사냥감이 걸려들기를 기다리는 거죠. 뭐, 맡겨주세요."

루돌은 두 사람 앞에서 일어났다.

"나도 준비하지. 너희들. 실패하지 마라."

난폭하게 문을 열고 나가는 모습을 바라보던 자르사가 혀를 찼다.

"애송이 주제에……"

베닐이 웃었다.

"이봐, 본성이 드러나잖아."

"이크, 이거 실례."

수습하는 모습을 바라보던 베닐이 살며시 웃었다.

"그래서…… 어쩔 거냐?"

두 사람의 눈은 루돌조차도 사냥감으로 보고 있었다.

그들은 평소에도 악질적인 행위를 벌이는 모험가다.

애초에 의뢰를 제대로 완수하려는 생각은 없었다.

"미궁 안에서 사고는 자주 일어나는 법. 저 애송이가 우리를 입막음하지 않으리라고도 할 수 없고, 아람사스에도 질렸으니까요. 나가기 전에 화려하게 날뛰고 싶군요."

의뢰주마저도 해치우려는 두 사람은 술잔에 술을 따르며 건배했다.

"전부 깔끔하게 끝내고 아람사스를 뜰까요."

"마지막으로 한탕 크게 벌어보도록 하자고."

두 모험가는 웃었다─.

장소는 지하 미궁의 지하 10층.

발을 들이자, 계층 보스의 모습이 없었다. 다른 모험가들이 토벌한 모양이다. 우리는 포터를 중심으로 걸어가서 계층 보스 방을 돌아봤다.

"……어쩌지."

전원이 곤란한 표정을 보인 이유는, 생각보다 훨씬 빨리 지하 10층에 도착했기 때문이다.

노웸도 지팡이를 들고 곤혹스러워했다.

"뽀용뽀용 씨가 매핑을 하고, 샤논이 주변의 위협을 미리 알려주고 있으니까요. 여기까지 문제없이 도착할 수 있었네요."

포터의 천장에는 상자를 설치했고, 그곳에 마석 등이 들어가 있었다.

노윔에게도 상상 이상의 성과였던 모양이다.

"어, 어쩌죠? 라이엘 님."

원래는 지하 10층까지 내려오고, 거기서 다시 지상으로 올라오는 3일 예정이었다.

그러나 문제없이 첫날에 목표 계층을 달성.

시간도 남았다.

"……9층으로 돌아가서 야영할까. 이거, 내일이면 돌아갈 수 있겠지?"

클라라 씨가 포터에서 내려왔다.

뽀용뽀용의 설명에 의하면 『운전석』이라고 부르는 것에서 내려와 지금까지의 조작 감각을 내게 알려주었다.

"라이엘 씨. 포터에 관해서인데요."

"뭔가 문제라도 있나요? 조작이 피곤하시면 교대할게요."

내 제안에, 클라라 씨는 고개를 내저으며 답했다.

"이상해요. 조작 감각이 너무나 편해요. 저번에 개조한 짐수레보다도 편하다니 이게 가능한 걸까요?"

나는 포터를 봤다.

"아, 그거 말이죠. 야, 뽀용뽀용."

뽀용뽀용을 부르자, 차내에서 상자를 꺼내 가져왔다.

클라라 씨는 고개를 갸웃했지만, 상자 안을 보고 놀랐다.

상자 자체가 마구.

그리고 그 안에서 빛나는 황록색 보석 페리도트— 마력을 내포한, 마광석이라 불리는 희귀한 보석이다.

"마광석을 갖고 계셨나요?"

"아람사스에 오기 전에 입수한 거예요. 마석이나 희귀금속을 사용하는 것도 고려했지만, 기왕이면 이게 좋을 것 같아서요."

포터는 너무 무거워서, 움직이려면 보조가 필요하다.

그 에너지를 손에 넣기에 가장 좋은 게 마광석이었을 뿐이다.

"사는 건 비싸지만, 가지고 있으니까 사용했어요."

클라라 씨는 현기증이 났는지 이마에 손을 댔다.

"이런 걸 가지고 계신 시점에서 놀라운데요. 라이엘 씨, 정말로 신기한 분이네요."

그런가? 확실히 철부지이긴 하지만, 최근에는 조금 나아졌는데…….

그런 대화를 나누던 중, 아리아 씨와 소피아 씨가 다가왔다.

"라이엘. 이제부터 어쩔 거야?"

"가능하면 빨리 정해주셨으면 좋겠는데요."

나는 뽀용뽀용에게 상자를 넣어두라고 지시하고 노웸을 봤다.

노웸은 곤란한 표정을 보였지만, 당초 목적을 달성할 것을 제안했다.

"일단 앞으로 갈 준비는 하지 않았으니, 이대로 돌아가서 야영을 할까요?"

나는 머리를 긁적였다.

"그래. 1박하고 내일은 돌아갈까."

아리아 씨가 어깨를 으쓱했다.

"2박 예정이었는데, 그래도 괜찮아? 2박하면 조금 더 벌 수 있을 것 같은데?"

나는 포터를 바라봤다.

밖으로 나온 샤논이 미란다 씨에게 간호를 받고 있었다.

마물과의 전투나, 거기서 소재 등을 채집하는 걸 보고 메스 꺼워진 것 같다.

"샤논이 익숙하지 않고, 게다가 그렇게까지 무리하지 않아도 시운전은 잘 풀렸으니까요. 내일은 돌아가죠."

상상 이상으로 잘 풀리고 말아서 반대로 이래도 괜찮나 놀랄 정도다.

예전과는 큰 차이다.

지상이 밤이 될 무렵.

우리는 지하 9층에서 야영했다.

주변에서는 숨소리가 들린다. 나는 불침번이라서 아리아 씨와 둘이서 랜턴을 사이에 두고 앉아있었다.

아츠 사용 금지가 되고 나서는 삐걱거리기도 했지만, 오늘은 그런 일도 없었다.

뭘 이야기해야 좋을지는 모르겠지만, 오늘은 자연스럽게 대화가 이어졌다.

"척후도 이것저것 있더라."

아리아 씨의 이야기는 도장 관련이 많았다.

요 몇 달 동안 거의 매일 같이 다니면서 기술을 갈고닦았던 모양이다.

"굉장했어. 바닥이나 벽에 손을 대면 주변 상황을 알 수 있는 거. 함정 종류도 많아서 익힐 게 많더라고."

도장에서 혼나고, 칭찬받고, 그러면서 겨우 실전에서 좋은 반응을 느꼈다.

그게 기쁘다는 인상을 받았다.

"소피아 씨와 같은 곳을 다니지 않았나요?"

내가 소박한 의문을 던지자, 아리아 씨는 거북한 듯 대답했다.

"……나한테는 좀 맞지 않아서. 뭐랄까, 그 분위기는 무리."

이것저것 새로운 것을 습득한 아리아 씨와는 달리, 지금은 잠들어 있는 소피아 씨는 기본적인 전위로서의 힘을 늘리기로 했다고 한다.

"그보다도 라이엘 쪽은 어때?"

"뽀용뽀용과 아침부터 몸을 움직이고, 그 후에는 짐수레를 계속 개조했었죠. 이후에는 도서관이나, 데미언 쪽에도 갔어요."

아리아 씨가 잠들어 있는 클라라 씨를 힐끔 바라봤다.

"……클라라와 소문이 돌던 것 같은데, 그쪽은 어때?"

"클라라 씨와? 아뇨, 설마요. 친해지기는 했지만, 그 이상의 일은 없었어요. 신세만 지고 있네요."

아리아 씨가 살짝 고개를 수그렸다.

"그, 그렇구나……."

"동료로는 갖고 싶은 인재지만, 도서관을 좋아하시는 것 같아서 아람사스를 나와 따라와 주실지는 모르겠고요."

클라라 씨에게 아람사스는 자신과 잘 맞는 곳이다.

대륙 제일이라 불리는 도서관이 있는 게 크다.

"……따라와 준다면 기쁠 텐데요."

내 중얼거림에 동의하는 목소리가 하나.

3대다.

『클라라는 갖고 싶긴 해. 나는 추천할게. 라이엘, 여느 때처럼 꼬드겨서 동료로 넣자. 그러면 매일 책을 읽을 수 있어!』

……이 녀석. 대체 나를 뭐라고 생각하는 거야?

내가 아무나 닥치는 대로 꼬드기는 것처럼 말하지 말아줬으면 좋겠다.

사흘 뒤.

지상으로 돌아온 나는 노웸을 데리고 장을 보러 나왔다.

지하 30층으로 가는 데 필요한 물이나 식량 조달.

그밖에는 소모품 등의 구입이다.

예전에도 이용한 가게로 갈 뿐이긴 하지만, 최근 노웸과 대화를 나누지 않은 게 신경이 쓰였다.

그래서 둘이서 나왔는데…… 나는 주변을 돌아봤다.

"……왜 나는 웃음거리가 되고 있는 거야?"

동업자인 모험가는 물론이거니와, 아람사스의 주민들까지 웃고 있다.

노웸은 평소에도 장을 보러 나와서 거리의 소문을 들었는지, 내게서 시선을 돌렸다.

"그게, 라이엘 님은 얼마 전에 미궁에서 실패하셨고, 최근에는 모험가로 활동도 하지 않으시니까……."

들어보니, 데미언과 지인이 되고 나서 순식간에 지하 40층을 공략했지만, 데미언이 없어지고 나서는 실패의 연속이라서 실력 없는 모험가라고 여기게 된 모양이다.

포터를 완성시키기 위한 시행착오의 나날에 관해서는, 모험가로서의 자기 실력을 깨닫고 장사로 전환하려 한다는 소문이 돈다고 한다.

"그런 소문이 흐르고 있었어?"

노웰은 수긍하면서도 조금 위화감을 느끼고 있었다.

"최근 들려오게 되었어요. 지금까지도 그런 소문 자체는 있었지만, 이렇게 심하지는 않았는데요."

최근에 심해졌다고는 하지만, 지금까지도 여러 나쁜 소문은 흐르고 있었던 모양이다.

"너무한데……."

그러자 보옥 안에서 2대의 목소리가 들렸다.

『……자, 어떻게 할까.』

고민하던 2대에게 6대가 대답했다.

『낌새를 보도록 하죠.』

두 사람의 대화를 이해하지 못하고 있는데, 노웰이 인파 속으로 시선을 돌렸다.

나도 노웰의 시선을 따라 눈을 돌렸다.

딱히 수상한 느낌은 없다.

"왜 그래?"

"누가 보고 있는 것 같았는데, 기분 탓일지도 모르겠네요."

나는 즉시 보옥을 쥐었지만, 대답은 없었다. 역대 당주들은 침묵하고 있다.

……대체 어떻게 된 걸까?

노웸은 내게 진지한 표정을 보였다.

"조금 경계하는 게 좋을지도 모르겠어요. 다른 분들에게도 가능하면 혼자 외출하지 말라고 전하도록 해요."

나는 「그러자」 하고 대답할 수밖에 없었다.

지금까지는 아츠가 있었기에 악의를 가진 인물을 바로 알아챌 수 있었다.

그러나 지금은 근처에 악의를 가진 인간이 있어도 전혀 알 수가 없다.

"용케 알아챘네. 노웸."

솔직하게 노웸이 굉장하다고 생각했다.

"감 같은 거예요. 게다가 부자연스럽게 따라오고 있어서 눈치챘어요."

……그걸 눈치채지 못한 나는 조금 부끄러워졌다.

다음 날.

나는 나르쿠스 씨와 점심을 함께하고 있었다.

아람사스에서 알게 된 모험가로, 친하게 지내고 있다.

나는 누가 따라다니고 있다는 걸 상담했다.

"······혹시, 그건 여성을 노리고 있는 게 아닐까?"

"제 동료들을 말인가요?"

나르쿠스 씨는 팔짱을 끼며 진지한 표정을 지었다.

"남자 한 명의 여성이 다수인 파티라면 질투하니까. 특히 모험가는 거친 일이 많으니, 개중에는 악질적인 녀석도 많아."

확실히, 여성진을 노릴 가능성은 높다.

잘 생각해보면, 내 주변에는 미소녀만 모여있다.

샤논이나 뽀용뽀용은 예외지만, 모두 예쁘다.

"조심하는 게 좋을까요?"

"단독행동은 하지 않는 게 좋아. 주변에 신경을 쏟는 것도 잊으면 안 되고."

나는 천천히 끄덕였다.

나르쿠스 씨는 내 태도를 보고 안심했는지 화제를 바꿨다.

"그보다, 동료들의 상황은 어때?"

"예전보다는 낫지만, 변함없이 동료들 사이에 도랑이 있는 것 같아요."

나르쿠스 씨가 걱정하면서 내게 동정적인 시선을 보냈다.

"그거 큰일이네. 좀 더 이해해주면 좋을 것 같은데······."

동료로서, 그리고 파티의 조화를 어지럽히지 않기 위해 나르쿠스 씨는 모두를 평등하게 대하는 걸 준수하고 있다.

그렇게 잘해나가고 있으니까, 나로서는 부러울 따름이다.

"커다란 일이 기다리고 있는 것 같으니, 한번 모두 함께 대화를 나눠보는 게 좋을지도 모르겠어. 거기서 자신의 마음을 전하면, 분명 다들 이해해줄 거야."

나르쿠스 씨의 미소에, 나는 의욕이 솟았다.

"그렇겠네요! 이번에야말로 성공해 보일게요!"

나는 어쩜 이리도 믿음직한 사람과 알게 된 걸까.

6대가 투덜투덜 불평했다.

『대화로 넘어갈 수 있었다면 나는 고생하지 않았어. 나는…… 나는!』

5대가 차갑게 말했다.

『자업자득인 너는 입 다물고 있어.』

아내가 무서운 듯한 6대는 나르쿠스 씨의 행복한 느낌이 부러워서 견딜 수가 없나보다. 대체 어떤 부부 생활을 보내온 걸까?

나르쿠스 씨와 그렇게 대화를 나누던 중, 안경을 쓴 한 여성이 말을 걸어왔다.

"나르쿠스~ 정말, 이런 곳에 있었어?"

커다란 가슴에 학생복 차림.

그녀는 아람사스에서 만난 나르쿠스 씨의 새로운 동료였다.

"이크, 벌써 이런 시간이네. 라이엘. 나는 이만 갈게."

"이야기를 들어주셔서 고맙습니다."

감사를 표하며 가게를 나왔다. 나르쿠스 씨의 동료가 밖에서 기다리고 있었다.

변함없이 사이좋아 보이는 파티를 보고 나도 저런 관계가 되고 싶다고 상상했다.

"좋아. 나도 힘내자!"

큰일을 앞두고, 좀 더 동료들과 친해지고자 결의했다.

"어머, 잘 안 들리네. 라이엘. 뭐라 그랬어?"

웃는 얼굴의 미란다 씨 앞에서 나는 움츠러들었다.

사크라이 자매의 집. 우연히 단둘이 있게 되어서 말을 걸었다.

저번에 모두가 있는 자리에서 친해지자고 제안했다가 실패했기에, 이번에는 한 명씩 말을 걸며 돌아다니기로 한 거다.

그러나, 첫 번째부터 느닷없이 강적이었다.

"아니, 저기…… 사이좋게 지내주시면 좋을 것 같아서……."

미란다 씨의 얼굴을 제대로 볼 수가 없어서, 시선은 이리저리 돌아가고 목소리도 작아졌다.

보옥 안에서는 나를 비웃는 소리가 들려왔다.

『라이엘. 좀 더 확실히 말해라!』

『라이엘, 한심하네!』

『좀 더 당당해야 합니다.』

『그래. 이런 건 처음이 중요하다고.』

『라이엘. 내 아내보다는 낫다. 힘내라!』

『처음의 기세는 어디로 간 거냐. 힘내거라. 라이엘.』

말만 보면 격려하는 것 같지만, 다들 목소리에 웃음을 머금고 있다.

나를 보며 즐기는 거다.

미란다 씨가 어깨를 으쓱했다.

"농담이야, 라이엘. 근데 나 개인의 의견이라 미안하지만, 우리에게 그건 무리야."

우리 파티가 모두 사이좋아지는 건 무리라는 말을 듣고 말았다.

"아, 아니. 전에는 됐는데요."

"그런 의미가 아니야. 나는 라이엘이 바라는 거라면 해주고 싶지만, 그건 라이엘을 위해 도움이 되지 않으니까 기각할게."

내가 바란다면? 나는 용기를 쥐어짰다.

"그럼 모두 사이좋게!"

"뭔데? 한 번 더 말해 줄래?"

미란다 씨가 무서운 미소를 지으며 내 양어깨를 잡았다.

"미안해. 잘 안 들렸어."

"……아무것도 아닙니다."

6대가 조금 슬픈 목소리로 말했다.

『미레이아의 증손녀가 무서워. 어째서 이런 여자로 자란 걸까.』

7대가 나지막하게 중얼거렸다.

『고모님의 증손녀라서 그런 게 아닐지?』

미란다 씨가 키득키득 웃었다.

"라이엘이 진심으로 원한다면 언제든 따라줄게. 스스로 진심으로 원한다면, 말이야."

미란다 씨는 그렇게 말하며 내게서 떠나갔다.

나는 미란다 씨의 등을 보며 어깨를 떨궜다.

"내일부터 미궁에 들어가는데, 이대로 괜찮을까?"

내게는 불안감만 쌓일 뿐이었다.

—야간.

모험가 집단이 어둠 속에 숨어 이동했다.

이끄는 것은 연장자인 베닐이다.

그는 뒤에서 따라오는 학생인 루돌 일행을 보며 혀를 찼다.

"느긋하게 이동하지 말았으면 좋겠는데."

옆을 걷던 자르사는 어이가 없었다. 그 옆에는 가늘고 찌르기에 특화된 검을 차고 있다.

모험가는 그다지 들지 않는 검이지만, 자르사는 레이피어밖에 쓰지 않는다.

"학생이란 생각이 물러터진 놈들이야. 신경 써봤자 별수 없어."

베닐 일행은 라이엘 일행이 출발하기 전에 미궁에 들어가려 했다.

매복인가, 습격인가.

그건 라이엘 일행의 상황에 달렸다.

베닐이 수염을 어루만졌다.

"데미언이 있었다고는 해도, 그 녀석들은 저번에 지하 40층을 공략했어. 얕보는 건 위험해. 게다가 그 이상한 상자도 신경 쓰이고."

"말이 필요 없는 짐마차였나? 사실이라면 손에 넣고 싶은데."

그러자 뒤에서 짜증을 내는 목소리가 들려왔다.

루돌이다.

"너희들. 조금은 진지하게 해라."

두 사람은 보이지 않는 곳에서 인상을 찡그렸지만, 지금 다투는 건 상책이 아니다.

자르사는 자세를 바르게 고치고 대답했다.

"이거 실례했군요. 그런데, 그쪽은 인원이 부족한 모양입니다만?"

루돌을 합쳐도 열 명밖에 되지 않는다.

몇 명은 학생. 나머지는 후드를 쓰고 있어서 얼굴이 보이지 않는다.

차림새는 짐꾼이다.

"너희가 신경 쓸 필요는 없어. 그보다도, 그 녀석들은 절대로 놓치지 마. 미란다 말고는 필요 없으니까."

루돌의 태도에 베닐이나 자르사를 시작으로 한 모험가들이 짜증을 냈다.

베닐이 대응했다.

"맡겨주시죠. 우리는 익숙하니까요."

"그럼 좋겠지만."

이윽고 루돌이 주도하는, 라이엘을 노리는 집단이 미궁으로 들어갔다―.

아람사스 지하 미궁 입구.

우리는 포터를 타고 미궁 안으로 들어갔다.

나는 샤논의 머리에 손을 올렸다.

"자, 적을 확실히 찾으라고."

운전석에는 클라라 씨에 뽀용뽀용, 그리고 나와 샤논이 있어서 매우 좁다.

아침 일찍부터 일어나서 졸려 보이는 샤논이 내 손을 치웠다.

"시끄럽네. 하면 되잖아. 하면."

하품을 섞으며 대답한 샤논을 보고 있으니까 긴장감이 떨어진다.

클라라 씨가 운전석에 앉아서 마법을 사용하자, 포터가 거구를 움직이며 전진했다.

두꺼운 장갑으로 보호받는 우리들.

뽀용뽀용이 전방에 적을 발견했다.

"음! 전방에 접근하는 건 박쥐의—"

클라라 씨가 무표정하게 전진해서, 돌진해온 커다란 박쥐들을 치어버렸다.

뽀용뽀용은 조금 곤혹스러워했다.

"……마지막까지 말하게 해주세요."

클라라 씨도 곤혹스러워했다.

"어? 그치만 지하 10층까지는 마물을 무시하고 전진한다고 들어서요."

처음부터 마물과 싸워서 마석이나 소재를 모으는 건 시간이 걸린다.

덤으로 짐도 늘어난다.

여기서 입수하는 마석이나 소재는 별로 값도 나가지 않기에, 우리는 무시하기로 했다.

나는 샤논을 봤다.

어제는 흥분해서 잠이 오지 않았는지, 입에서 군침을 흘리며 조수석에서 자고 있다.

나는 손바닥으로 샤논의 머리를 살짝 두드렸다.

"햐잇!"

깨어난 샤논이 주변을 바라봤다.

그리고 거북한 듯이 군침을 닦으며 말했다.

"아, 안 자써."

입도 안 돌아간다.

"너, 다음에 자면 미란다 씨를 부를 거야."

내가 그렇게 말하자, 샤논은 저항했다.

"언니한테 이르다니 비겁해! 이 비겁한 기둥서방 자식!"

"혹시 기둥서방 자식이란 말을 정착시키려는 거야? 안타깝게 됐네. 이미 나는 빌붙어서 사는 기둥서방이 아니야. 내가 벌기도 하고 미란다 씨에게 생활비도 주고 있거든. 오히려 네가 빌붙는 거 아니야?"

샤논이 화를 내며 비좁은 차내에서 날뛰자, 클라라 씨가 한숨을 내쉬었다.

"그보다도 진로 방향을 정해주셨으면 하는데요."

—포터의 뒷부분.

노웰, 아리아, 소피아, 미란다.

네 사람은 마주 보는 벤치에서 말없이 앉아있었다.

싫어도 얼굴을 봐야 하는 상황에서, 네 사람은 침묵하고 있었다.

전방에서 라이엘과 샤논이 싸우는 소리와, 때때로 클라라의 곤란해하는 목소리가 들려왔다.

아무리 크다고는 해도, 짐을 쌓고 사람이 타면 공간이 한정된다. 그 한정된 공간에 네 사람이 얼굴을 마주한 지 몇 시간이 지났다.

노웸이 화제를 던졌다.

"모처럼 네 사람이 얼굴을 마주하고 있으니, 이야기라도 할까요?"

아리아가 미란다의 얼굴을 힐끔힐끔 바라봤다.

"딱히 상관은 없는데, 무슨 이야기를 하려고? 소피아의 아마조네스화라든가?"

소피아가 일어났다.

"잠깐, 아마조네스라니 뭔가요! 혹시 도장 여러분을 바보 취급하는 건가요! 다들 좋은 분들이에요!"

확실히 다들 좋은 사람이지만, 그 도장에 다니는 여성진을 길거리에서 아마조네스라 부르는 건 사실이었다.

미란다가 키득키득 웃었다.

"확실히 최근 노출이 많아졌네. 여름에 속옷 차림으로 자던 거, 라이엘이 봤더라."

아리아가 웃었다.

"거봐! 너 최근 너무 방심하고 있잖아!"

노웸이 아리아를 바라보며 웃었다.

"아리아 씨도 마찬가진데요. 라이엘 님이 담요를 몇 번 다시 덮어주셨어요. 다리를 벌리고 자는 건 별로 좋지 않네요."

아리아가 자기 얼굴을 양손으로 덮고 귀까지 빨개졌다.

소피아가 반박했다.

"아리아가 더 심각하잖아요! 애, 애초에 여성이 자는 모습을 엿보다니……."

미란다가 어이없어했다.

"거실 소파에서 자고 있으면 누구라도 봐. 피곤해 보이니까 깨우지 않았을 뿐이지."

소피아는 부끄러운 듯이 귀까지 새빨개져서 몸을 웅크리며 앉았다.

두 사람의 모습을 보며 즐기던 미란다에게 노웸이 말했다.

"그런데 미란다 씨. 라이엘 님을 곤란하게 하고 계신가요?"

미란다는 웃었지만, 그것은 도발적인 웃음이었다.

"곤란하게 할 생각은 없어. 이것도 라이엘을 위한 거라고 생각하거든."

"독선 아닌가요? 라이엘 님을 위해서가 아니라, 자신을 위해서 같은데요?"

두 사람은 웃고 있었지만, 아리아와 소피아는 거북했다.

미란다가 노웸에게 반박했다.

"독선은 너겠지. 애초에 왜—"

그러나, 도중에 포터가 급정지하자 대화가 중단됐다.

아리아가 이 자리의 분위기를 견디다 못해 목소리를 높였다.

"무, 무슨 일이야!"

무슨 일이 일어난 거라면 이 자리에 없어도 될 테니 오히려 기뻐하는 분위기였다.

뒷문이 열렸다.

그곳에는 뽀용뽀용의 모습이 있었다.

커다란 망치를 어깨에 메고 있었는데, 피로 조금 더러워졌다.

"죄송합니다. 조금 거물이 나와서 상대하고 있었거든요. 마석만 회수할 테니 도와주셨으면 하는데…… 왠지 즐거워 보이는 분위기니까, 여러분은 그냥 이 자리에서 대기해주세요."

뭔가 분위기가 안 좋다는 걸 짐작한 뽀용뽀용은 그렇게만 말하고 문을 닫았다.

바깥에서 소리가 들린다.

『어라, 모두는?』

『이야기가 흥겨워지는 것 같아서 그대로 놔뒀지요. 여자끼리의 대화에요. 엿들으면 안 돼요. 치킨 자식.』

『엿듣겠냐. 뭐, 좋아. 나랑 너만 정리하자.』

두 사람이 처리해버렸는지, 잠시 지나자 포터가 다시 움직였다.

그러나 이번에는 아무도 입을 열지 않았다.

말없이 시간만 흘렀다―.

나는 생각했다.

"내 포터가 너무 강해."

미궁 안쪽 통로를 나아가는 포터는 어지간한 마물은 그냥 치어버릴 수 있다.

커다란 마물도 태연하게 치어버리고, 그걸 싣고 앞으로 나아간다.

마치 그 어떤 험로라도 나아갈 수 있도록 처음부터 설계된 듯한 느낌이다. 투박한 디자인이나 튼튼한 장갑도 장식이 아니었던 모양이다.

클라라 씨가 살짝 손을 들었다.

"저기, 저도 제작을 거들었는데요."

뽀용뽀용이 분개했다.

"잠깐만요! 대부분 완성시킨 건 이 뽀용뽀용! 이 아이의 어머니는 오히려 저라고요!"

샤논은 조수석에 앉아 과자를 먹었다.

"그런 건 아무래도 좋아. 그보다도 앞쪽에 마물이 집단으로 기다리고 있는데."

뽀용뽀용이 주먹을 앞으로 내밀었다.

"으음! 소형밖에 없네요. 여기서는 강행돌파만이 있을 뿐이에요!"

클라라 씨가 덤덤히 말했다.

"그럼 전진할게요."

뽀용뽀용의 말로는 『엔진』이라고 부르는 것이 힘차게 울리면서 포터가 가속, 전방에 있던 마물을 치어버렸다.

포터가 있기만 해도 이렇게 편하다.

"이거, 과제에는 괜찮은 건가?"

역대 당주들이 포터에 불만을 토로하지 않을까 불안해졌는데, 보옥 안에서는 환성이 들려왔다.

『최고다. 포터어어어!』

『이거 나도 갖고 싶어!』

『포터를 양산할 수만 있다면, 어쩌면 세계에 혁명을 일으킬 수 있을지도 모르겠군요.』

『이게 내 시대에 있었다면…….』

『어쩜 이리도 듬직한지! 이것이야말로 사나이의 탈것이로군요!』

『저도 타보고 싶군요.』

……지나친 생각이었던 것 같다. 즐거워 보인다.

고개를 내젓고 있는데, 뒤쪽에서 아리아 씨가 고개를 내밀었다.

"저기, 지금은 지하 몇 층? 시간만 지나가서 잘 모르겠어."

포터 내부는 무척 흔들림이 적다.

평범한 짐마차는 몇 시간씩 타면 엉덩이가 아픈데, 이건 그렇지도 않다.

단지, 너무나 순조로워서 짐받이에 올라탄 네 사람이 한가함을 주체하지 못하고 있었다.

나는 뽀용뽀용에게 시선을 돌렸다. 그것만으로도 무슨 말을 하고 싶은 건지 짐작한 모양이다.

"지하 16층에 도착했어요. 지상은 저녁 여섯 시 조금 전이 겠네요. 야영 준비를 시작해도 문제는 없다고 생각해요."

얼빠진 부분도 많지만, 이런 부분에서는 믿음직하다.

"하루 만에 지하 16층이라니. 이거, 우리 차례는 있어?"

아리아 씨가 걱정하는 것도 무리는 아니다.

애초에 포터가 상상 이상으로 우수하니까.

"아무리 그래도 지하 20층 이후부터는 포터도 못 버틸 것 같은데요."

그때, 샤논이 절규했다.

"꺄아아악!"

나를 끌어안고는 과자로 더러워진 손으로 옷을 움켜쥐었다.

전원이 샤논의 시선 앞 전방으로 고개를 돌리자, 그곳에는 마물들이 마치 포터에게서 도망치려는 듯이 벽을 기어다니고 있었다.

별로 위협적이지 않은 곤충형이지만, 샤논은 벌레를 무척 싫어한다.

"그만 좀 해. 왜 소리를 지르는 거야."

샤논은 울상이다.

"무서운걸!"

걸! 하고 귀엽게 말하고 있지만, 내 마음에는 조금도 와닿 지 않았다.

"뭐, 됐어. 그보다도 어딘가 야영할 수 있는 곳을 찾아봐."

"……너 나한테만 차갑지 않아?"

샤논이 나를 노려보자, 나는 웃으며 대답했다.

"당연하지. 나는 네가 싫ㅡ."

"이얍!"

허리 회전을 더한 샤논의 주먹이 내 배에 꽂혔다.

"너, 너어……."

"지금 웃음을 보니까 화가 났어."

샤논은 연보라색 머리를 쓸어 올리고는 웅크린 나를 보며 웃었다.

뽀용뽀용의 지도를 받아서 그런지, 꽤 아팠다.

제63화 성과

지하 18층.

그곳까지 나아간 우리는 마물이 없는 방을 찾아서 야영 준비에 들어갔다.

방 출입구가 좁아서 포터는 안에 들어갈 수 없었다.

입구에 세워서 마물의 침입을 막는 벽으로 삼은 우리는 미궁 안의 방에서 역할별로 움직였다. 아리아 씨가 짐에서 접이식 테이블과 의자를 꺼냈다.

"저기, 이쯤이면 될까?"

소피아 씨는 클라라 씨와 함께 화장실을 조립했다.

"꽤 튼튼한 구조네요."

"뽀용뽀용 씨가 준비해 주셨어요. 뭐랄까, 여러모로 편리한 도구를 만들어 주시네요."

랜턴을 배치하고, 야영 준비가 착착 진행되자 이윽고 뽀용뽀용이 저녁 준비를 시작했다.

"공들인 메뉴는 만들 수 없다? 그런 건 변명이에요! 이 뽀용뽀용이 치킨 자식을 위해—"

"뽀용뽀용, 시끄러워. 빨리 식재료 좀 잘라줄래?"

미란다 씨가 부지런히 준비를 진행하고, 노웰도 모포 등을 꺼냈다.

"짐을 싣는 게 편해서 좋네요."

이렇게 전원이 야영 준비를 위해 움직이고 있지만…….

"너 정말로 기둥서방 같네."

"네가 할 소리야?"

샤논과 나는 나무상자 위에 앉아있다.

딱히 일을 땡땡이치고 있는 게 아니라, 나와 샤논은 휴식 시간이다.

클라라 씨도 준비를 마치면 휴식할 예정이다.

……나는 딱히 일하던 건 아니었지만 휴식 중. 노웸이 웃으면서 다가왔다.

"라이엘 님, 샤논. 두 분은 먼저 온수로 몸을 닦으세요. 저녁 식사 후에는 양치질을 하고 먼저 주무시고요."

나와 샤논은 「네~에」 하고 대답하며 일어났다.

샤논이 나를 노려봤다.

"엿보지 마."

나는 코웃음 쳤다.

"너의 뭘 엿보라고? 봐서 곤란한 거라도 있냐?"

얼굴을 새빨갛게 물들인 샤논이 주먹을 내질러서, 나는 뒤로 한 걸음 물러나 손으로 떨쳐냈다. 그게 짜증이 났는지, 샤논이 발차기를 날렸다.

얼마 전까지는 머리를 누르면 팔을 휘두르는 것밖에 못하던 샤논이, 지금은 나름대로 움직이고 있다.

"오, 해보려고? 지금까지의 전적은 나의 무패인데."

샤논이 외쳤다.

"으꺄아아악! 언니의 기둥서방 주제에 기고만장하지 말라고! 오늘이야말로 결판을 내주겠어!"

샤논이 사나운 참새의 자세를 잡았다.

이 녀석 진심이다.

나도 대항해서 사나운 참새의 자세를 잡았다.

"얕보지 말라고. 나는 너보다 강해!"

그러자 아리아가 손뼉을 쳤다.

"거기, 놀지 말고 빨리해."

예전에는 야영 때 뭘 해야 할지 모르고 우왕좌왕하던 아리아 씨도 지금은 부지런히 일하고 있었다.

나와 샤논은 「네, 넵」 하고 대답하며 몸을 닦기 위해 온수를 받으러 갔다.

다음 날.

지하 21층까지 온 우리는 포터 주변에서 대기했다.

불을 끈 어둠 속, 내 근처에서 발소리가 들렸다.

초조해하며 고개를 돌리자, 그곳에는 정찰에서 돌아온 아리아 씨의 모습이 있었다.

"놀라지 마."

"아뇨, 갑자기 나타나서."

아리아 씨의 아츠는 가속. 일시적으로 스피드를 끌어 올리는 아츠다. 그걸 이용해서 적에게 다가가 정보를 모으고 재빨리 돌아온다.

아직 본인은 납득하지 못하는 것 같지만, 근처에 올 때까지 알아채지 못했으니까.

아리아 씨가 보고 온 정보를 우리에게 전달했다.

"이 앞에 리자드맨이 세 마리. 방 안에 있는데, 쉬고 있는 건 아니니까 근처를 지나가면 나올 거야. 횃불을 들고 있는 게 한 마리 있었어."

우리는 고개를 끄덕였다.

미란다 씨가 칭찬했다.

"어머, 굉장하네."

아리아 씨는 순순히 기뻐하지 않았다.

"그거 감사. 라이엘, 어쩔래? 주변에는 마물도 없는 것 같으니까, 전원이 기습할까?"

그게 가장 안전하기에 수락하려 했는데, 소피아 씨가 배틀액스를 둘러멨다.

"제게 맡겨주실래요?"

꽤 진지한 목소리다. 어두워서 얼굴은 잘 보이지 않지만, 목소리만으로도 진심이라는 걸 알 수 있다.

리자드맨은 도마뱀 아인이다. 성인 남성보다 훨씬 덩치가 크고, 덤으로 완력도 사람의 몇 배나 된다. 커다란 도끼나 창을 휘두르는 성가신 마물이었다.

그러나 본인은 혼자서 해볼 작정인 것 같다.

미란다 씨가 내게 말을 걸었다.

"……소피아를 전위에 세우고, 나머지는 서포트하는 게 좋을지도. 아무리 그래도 혼자 돌격시키는 건 무책임해."

소피아 씨가 납득했다.

"그래도 상관없어요."

그렇게 말한 소피아 씨가 걸어갔다. 나와 미란다 씨는 서포트하기 위해 뒤따라가서 리자드맨이 있는 방까지 이동했다.

방 입구 앞까지 오자, 리자드맨들이 얼굴을 마주 보고는 뭔가 대화하는 것처럼 보였다.

소피아 씨의 준비가 갖춰지자 나는 끄덕였다.

바로 입구를 지나 안으로 들어간 소피아 씨는 들고 있던 배틀 액스를 내던졌다.

"소피아 씨?!"

내가 놀라서 뛰쳐나가려 하자, 미란다 씨가 내 어깨를 잡았다.

"기다려. 저 아이는 바보지만, 그냥 바보인 건 아니야. 조금만 더 상황을 지켜보자."

배틀 액스는 회전하면서 리자드맨 한 마리를 처리하고는, 그대로 벽에 꽂혔다.

횃불을 든 리자드맨이 입을 크게 벌려서 외치자, 다른 리자드맨 한 마리가 소피아 씨에게 다가왔다.

소피아 씨가 오른손을 옆으로 뻗었다.

"—오세요."

그러자, 벽에 꽂힌 배틀 액스가 마치 누가 억지로 잡아당긴 것처럼 벽에서 빠져나와 회전했다.

리자드맨이 돌아보자, 바로 눈앞에 배틀 액스가 다가와 있었다.

핏줄기가 튀며, 소피아 씨의 오른손에 배틀 액스가 돌아왔다. 회전하는 배틀 액스를 오른손으로 잡은 소피아 씨는 바로 자세를 잡았다.

한 마리만 남게 된 리자드맨이 횃불을 내던지고 소피아 씨에게 다가왔다.

리자드맨의 도끼와 소피아 씨의 배틀 액스가 부딪히며 불똥이 튀었다.

그러나 리자드맨은 두 번, 세 번 맞부딪힐 때마다 자세가 무너졌다.

체격은 소피아 씨가 더 작은데도, 리자드맨이 밀리고 있었다.

보옥 안에서 5대가 목소리를 높였다.

『오호라, 제법이잖아. 배틀 액스가 돌아온 건, 마구로 만든 건가? 게다가 소피아 녀석도 아츠 사용이 능숙해졌어.』

6대도 감탄했다.

『올려칠 때는 가볍게. 내려칠 때는 무겁게. 뭐, 중량을 조작하는 아츠니까 누구나 떠올릴 만한 방법이지만…… 능숙하게 사용하려면 상당한 수련이 필요하겠죠.』

마구를 손에 넣고, 자신의 아츠를 갈고닦는다.

단순하지만, 그에 따라 틀림없이 강해졌다.

성실한 소피아 씨답다고 생각한다.

나는 방 안에서 마법으로 광원을 만들어 밝게 만들었다.

마침 소피아 씨가 튕겨올라간 배틀 액스를 내려치고 있었다.

일격으로 리자드맨을 문자 그대로 좌우 두 쪽을 내버리는 위력을 보고, 내 뒤에서 지켜보던 미란다 씨가 들고 있던 나이프를 집어넣고 휘파람을 불었다.

나 역시 저도 모르게 박수를 보냈다. 보옥 안에서는 3대가 한 마디.

『훌륭해.』

놀리지 않고, 딱 한 마디로 칭찬했다.

이렇듯 두 사람은 크게 성장했지만…….

여기서 중요한 문제를 눈치챘다. 실은 지하 25층을 지나는 즈음에서 알아챈 건데, 지하 29층에 도달할 때까지 입 다물고 있었다.

아리아 씨가 정찰, 그리고 선제공격을 하면 소피아 씨가 전위에서 완벽하게 임무를 다한다.

노윔이 마법으로 마물을 쓸어버리면 미란다 씨가 임기응변으로 대응해서 구멍을 메운다.

뽀용뽀용은 전력이자 후방지원으로 활약하고, 클라라 씨도 포터의 조종과 서포트로서 진가를 발휘한다.

샤논도 눈뿐이라고는 해도 파티의 일원으로 애쓰고 있다.

그렇게 드디어 지하 30층에 있는 계층 보스에게 도전할 단계가 되자, 보옥 안에서 4대의 목소리가 들렸다.

『……라이엘. 지금까지 전혀 활약이 없는 건 기분 탓인가요?』

내일은 드디어 계층 보스와의 전투!

파티가 그렇게 기세등등한 가운데, 나 혼자 딱히 아무것도 하지 않았다는 걸 깨달았다. 깨닫고 말았다.

3대가 정말로 걱정스러워하는 목소리로 물었다.

『말하고 싶지는 않은데, 지금의 라이엘은 정말로 기둥서방 이야. 주변 여성들보고 일을 시키고 아무것도 안 하잖아. 뭐, 그게 리더의 자질일지도 모르지만, 역시 좀 위험해.』

야영 준비를 하는 주변 사람들을 돕기 위해, 나는 노웸에게 말을 걸었다.

"노웸! 나도 뭔가 도와줄까!"

목소리를 높이며 접근하자, 노웸은 귀엽게 고개를 갸웃했다.

그러나 노웸은 내 마음을 이해해주지 않았다.

"라이엘 님은 내일을 위해 어서 쉬세요. 여기는 저희끼리 해둘 테니까요."

노웸은 그렇게 말하며 야영 준비로 돌아갔다.

나는 주변을 봤다.

모두 익숙해졌는지, 애초에 도와줄 일이 없었다.

내가 허둥대면서 주변에 시선을 돌리자, 혼자 나무 상자 위에 앉아서 나를 바라보는 샤논의 모습이 눈에 들어왔다.

샤논 녀석은 나를 보더니 입을 초승달처럼 벌리며 웃었다.

이 녀석, 내 마음을 읽은 건가!

"……풉."

샤논이 웃자, 내 마음속에 분노가 솟구쳤다.

누군가에게 주의를 받는 건 좋다. 혼나면 반성도 할 수 있다.

그러나 이 녀석이 비웃는 것만큼은 참을 수가 없었다.

샤논도 내 분노를 알아챘는지 서로 말없이 노려봤다. 그렇게 같은 유파— 같은 자세를 취하려 할 때, 샤논이 시선을 방구석으로 돌렸다.

"있잖아, 기둥서방."

"기둥서방이라고 하지 마. 뭔데?"

샤논이 손가락으로 가리킨 방향을 보자, 그곳에는 작은 벌레가 날고 있었다.

보옥 안의 2대가 목소리를 냈다.

『샤논이 놀라지 않아? 그나저나, 미궁 안인데 평범한 벌레가 있을 수 있나?』

그런 2대의 목소리를 들은 나는 곧장 단검을 꺼내서 던졌다.

공중을 날던 작은 벌레에는 맞지 않았지만, 내가 무기를 들었기에 전원의 시선이 모였다.

노웸이 지팡이를 꺼내서 들자, 화염구가 몇 발 날아가서 벌레를 태워버렸다.

벌레가 사라지자, 나는 바로 샤논을 바라봤다.

"지금 벌레는 뭐였어?"

고개를 갸웃하던 샤논이 말했다.

"그거 벌레가 아니야. 왠지 벌레 흉내를 내던 마력 덩어리 같은 녀석. 가느다란 실이 보였으니까, 어딘가와 연결되어 있던 게 아닐까?"

미란다 씨가 달려왔다.

"……샤논. 그 실은 어디로 이어져 있었어?"

미란다 씨의 진지한 표정에, 샤논은 한발 물러서며 대답했다.

"바, 방 바깥. 그래도 너무 멀어서 잘 몰라요."

4대가 해설했다.

『마력으로 만든 벌레라고 했습니까? 그러고 보니, 정찰이나 감시를 하는 아츠 중에 그런 게 있다고 들은 적이 있습니다. 누가 보고 있었군요.』

내가 보옥을 움켜쥐자, 3대가 냉정하게 대답했다.

『라이엘. 마음은 이해하지만 안 돼. 우리의 아츠를 사용하는 건 인정할 수 없어.』

이럴 때 역대 당주들의 아츠를 사용할 수 있으면 좋았겠지만, 인정해주지 않았다.

우리를 지켜보는 인간이 있다. 단순한 호기심이라고 생각하고 싶지만, 방심할 수는 없겠지.

소피아 씨가 주변을 봤다.

"무, 무슨 일이죠?"

아리아 씨도 곤혹스러워했다.

"몰라. 라이엘이 갑자기 무기를 꺼냈으니까, 또 샤논하고 싸우는 줄 알았는데."

아무리 나라도 샤논에게 무기를 겨누지는 않는다.

클라라 씨가 안경 위치를 고쳤다.

"최근에는 동업자가 습격을 받는 케이스가 늘고 있어요. 설마 이런 깊은 곳까지 올 줄은 몰랐네요. 보통은 좀 더 위에서 습격한다고 들었는데요."

노웸이 내게 진지한 시선을 보냈다.

"라이엘 님. 긴급사태라고 생각하는데요. 아츠를 사용하시겠나요?"

나는 고민했지만, 역대 당주들은 절대 인정해주지 않았다.

"……쓰지 않아."

미란다 씨가 나를 무표정하게 바라봤다.

"괜찮아? 일부러 사람이 적은 곳까지 온 녀석들이야. 어쩌면 우리를 노릴 기회를 엿보고 있을지도 몰라."

나도 당장에라도 아츠 사용을 해금해서 미리 적의 정보를 얻고 싶다.

그러나, 그걸 인정해주지 않고 있단 말이지. 3대가 말했다.

『지하 30층 계층 보스를 쓰러뜨릴 때까지, 우리는 아츠 사용을 인정하지 않아. 라이엘, 잘 생각해봐.』

혹시 누군가가 노리고 있을지도 모르는 상황에서 대체 무슨 소리야. 나는 역대 당주들의 반응에 화가 나서 보옥을 움켜쥐었다.

"잠시 고민해볼 테니까 혼자 있게 해줘."

노웸이나 미란다 씨에게 그렇게 말한 나는 포터에 올라탔다.

보옥 안, 원탁의 방.

앉아있는 역대 당주들 앞에서, 나는 원탁에 양손을 짚고 진지하게 부탁했다.

"아츠 사용 허가를 주세요. 과제 같은 소리를 하고 있을 때가 아니라고 생각하는데요."

그런 내 부탁에, 2대가 즉답했다.

『안 돼. 이 정도는 너희들만으로 어떻게든 해봐라.』

"이 정도? 같은 모험가가 노리고 있잖아요!"

내 호소를 들은 4대가 무표정하게, 덤덤히 실수를 지적했다.

『지상에 있을 때, 이미 누군가가 노리고 있을 가능성을 깨닫고 있었죠? 상대가 정말로 움직일 줄은 몰랐다고 말하지는 마세요. 이런 가능성도 고려하는 게 리더의 역할입니다. 자신의 실수를 제쳐놓는 건 그냥 넘어갈 수 없군요.』

역대 당주들의 태도에 멈칫하자, 그걸 본 3대가 살짝 웃었다.

『이 정도로 물러난다면 처음부터 말하지 않는 게 나아. 뭐, 방치하는 것도 역시 마음에 걸리긴 하네. 이 상황에는 어드바이스를 줘야겠어.』

3대가 조언을 해주자고 말하자, 6대가 팔짱을 끼며 웃었다. 그러나 그 웃음은 평소와 달리 호전적인— 무서운 웃음이었다.

『그냥 흥미가 생겨서 엿보고 있었다는 가능성도 있겠지. 그럴 경우에는 딱히 신경 쓰지 않아도 돼. 하지만, 문제는 사냥감을 찾고 있었을 경우. 그리고 라이엘 일행을 노리고 있을 경우의 두 가지.』

전자라면, 들킨 시점에서 표적을 변경할 가능성이 있다.

그러나 후자라면— 들켰다고 생각하면 어떻게 나올까?

7대가 덤덤히 말했다.

『억지로 습격. 혹은 포기하고 다음 기회를 기다릴 가능성도 있다. 지상에서 공격할 가능성도 있지만, 그건 재미있지 않지. 그렇게 생각하지 않느냐? 라이엘.』

모험가를 싫어하는 7대는 누군가가 우리를 노리는 상황이 재미없는 모양이다.

내가 묵묵히 있자, 2대가 뒷덜미에 손을 대면서 고개를 꺾었다.

『이런 녀석들은 끈질겨. 사람이 꺼리는 일을 태연하게 저지르지. 그런 녀석들 때문에 동료가 겁먹으며 지내는 건 용납할 수 없겠지?』

재미있지 않지? 용납할 수 없지?

역대 당주들이 나를 압박했다.

역대 당주들 가운데서는 비교적 온건하다고 생각해온 4대가 안경을 요사하게 빛냈다.

『라이엘. 상황은 이미 최종 단계입니다. 쓰러뜨리는가, 쓰러지는가…… 그 단계죠.』

5대는 무표정했다.

『싸움 같은 건 갑자기 시작되는 게 아니야. 먼저 시비를 건다면 다르겠지만, 이런 상황이 벌어지기 전에 이것저것 있었잖아? 그래. 너는 동업자에게 습격당한 모험가를 구했어. 좋은 일이야. 하지만, 거기서 간과했어. 악질적인 녀석들이 미궁 안에 있다는 걸 가볍게 봤지.』

6대가 웃음을 지웠다.

『누군가가 노리고 있다는 것도 가볍게 봤어. 설마 여기까지는 하지 않겠지, 그렇게 간단히 생각하고 있었던 거냐? 안 돼. 그래서는 안 된다.』

3대가 금빛 머리를 뒤로 넘기면서 이마를 드러냈다.

평소와 달리, 3대의 표정에는 위압감이 있었다.

반세임의 역사에 이름을 남긴 사람이다.

평소의 가벼운 인상 탓에 잊기 십상이지만, 나 같은 놈보다도 훨씬 많이 싸워온 사람이다.

『이건 라이엘의 실수야. 우리에게 부탁하기 전에, 자신의 능력 부족을 후회해야 해. 원래는 좀 더 사람을 늘리고, 적을 조사했어야 했어.』

나는 최근, 포터 개발 과정에서 거금을 얻었다.

그래서 눈에 띄었다.

동료들은 노웸을 시작으로 다들 아름다운 여성…… 누군가가 노릴 요소는 많았다.

5대가 원탁 위에서 깍지를 꼈다.

『라이엘을 책망하는 것도 시간 낭비겠지. 이럴 때는 얼마나 빨리 움직이느냐가 중요해. 그리고 라이엘…… 너, 사람을 죽일 수 있냐?』

5대의 시선은 농담하는 것처럼 보이지 않았다.

가슴팍의 옷을 강하게 움켜쥐었다.

잊어버린 건 아니지만, 이 사람들은 영주— 실제로 사람과도 싸워온 사람들이다.

2대가 말했다.

『뭐, 맡겨둬라. 우리는 이런 건 특기니까.』

3대가 평소와 다른 표정을 보였다.

『이렇게 되면 상대의 움직임이 신경 쓰이네.』

4대가 안경을 요사하게 빛냈다.

『들켜서 예정을 변경하는가, 하지 않는가……. 편리한 아츠를 가졌으니, 분명 지금까지는 들킨 적이 훨씬 적지 않았을까요?』

5대가 시선을 내렸다.

『……쫓고 있던 게 사냥감이 아닌, 맹수라는 걸 가르쳐줘야만 하겠지.』

6대는 웃고 있는 건지 화내고 있는 건지 모르겠다.

『흥미 때문에 보고 있었다면, 상응하는 벌을 내려준다! 시비를 건 거라면, 얻어맞더라도 불평할 수 없겠지.』

7대는 손을 움켜쥐어서 입가를 가리고 있지만, 웃고 있다는 걸 알 수 있었다.

『라이엘. 악당 놈들을 상대할 때는 사양하지 마라. 그럴 필요도 없어. 누구에게 시비를 걸었는지 톡톡히 깨닫게 해줘라.』

어째서 이럴 때만큼은 이렇게 믿음직한 걸까.

─자르사가 이끄는 모험가 집단은 당황하고 있었다.

지하 미궁 지하 27층.

지하 28층으로 이어지는 언덕길 앞에서, 자르사는 동료들에게 평소 태도와는 다른 난폭한 목소리로 말했다.

"들켰다고? 이 자식, 뭐 하고 있던 거냐!"

정찰 등에 도움이 되는 아츠를 가진 동료가 웅크리면서 사과를 입에 담았다.

"용서해줘, 자르사 씨! 계집애 한 명이 눈치채더니, 나이프나 불꽃이 날아와서 도망칠 수 없었어! 설마 그렇게 빨리 눈치챌 줄은 몰라서……!"

걷어차인 모험가는 이 재주로 자르사의 동료가 되었다.

아츠로 벌레를 만들어서 그걸 날려 정보를 얻는다.

그는 이 정보 수집 능력으로 자르사 파티의 눈과 귀를 맡아왔다.

지금까지 그의 실패는 적었기에, 자르사는 예기치 못한 사태에 짜증을 억누를 수 없었다.

"이번에는 베닐이나 그 빌어먹을 꼬마도 있다고! 내가 실수하면, 그 녀석들이 비웃을 거라는 걸 깨달으란 말이다. 이 바보 자식아!"

동료들이 자르사를 말렸다.

"진정해, 자르사!"

"그래. 그 녀석들은 명색이 지하 40층 공략자. 이 정도는 가능하더라도 이상하지 않아."

"그렇다면, 다른 동료들에게 연락해서―"

자르사가 동료를 뿌리치며 고함쳤다.

"그 녀석들이 그런 편리한 아츠를 가졌을 줄은 몰랐다고 하라고? 바보 같으니! 나를 다른 녀석들의 웃음거리로 만들 셈이냐! 이대로 구원을 요청하면, 나는 얼간이라는 걸 스스로 자백하는 꼴이잖아!"

자르사가 머리를 헝클었다.

"예정을 변경하자. 이렇게 되면, 그 녀석들을 덮치자고. 쉬지 못하게 만들어서 체력을 깎으면—."

거기까지 이야기하던 자르사가 이변을 눈치챘다.

"—뭐지? 무슨 소리야?"

정보 수집 담당 모험가가 웅크린 상태에서 일어나서 눈을 크게 떴다.

"녀석들이야. 자르사 씨, 녀석들이 이쪽으로 오고—."

그때, 포터라고 부르던 그 거대한 상자가 지하 28층에서 언덕길을 올라와 모습을 드러냈다.

자르사 일행은 그 거대함에 놀라며 그 자리에서 도망쳤고, 집단은 흩어지고 말았다.

맞서려던 몇 명은 포터에 치여서 날아갔다.

포터가 멈추자 한 청년이 내려왔다.

푸른 머리를 가진 남자는, 자르사 일행의 타깃 중 한 명이었다.

남자이기에 죽여도 상관없는 상대다.

전원이 놀라서 슬금슬금 물러나는 가운데, 자르사가 허리춤의 레이피어를 뽑으며 외쳤다.

"뭘 하고 자빠졌어! 저놈이 라이엘이다! 저놈부터 죽여!"

자르사는 레이피어를 본 라이엘의 시선이 가늘어진 것을 깨닫지 못했다.

자르사의 동료들이 차례차례 무기를 들고 라이엘을 덮쳤다.

라이엘은 통로를 막듯이 옆으로 선 포터를 등지고 있어서, 도주로가 막힌 상황이다.

동료들이 라이엘을 덮쳐서 보이지 않게 되자, 자르사는 비열한 미소를 지었다.

"이걸로 누구도 비웃지 않을 수 있겠지! 이제는 남은 여자들을 갖고 놀아 주자고!"

자르사는 이미 머릿속에서 남은 멤버를 어떻게 해줄지 생각하고 있었지만, 다음 순간 자기 동료들이 바닥에 드러눕는 것을 보고 입을 벌린 채 굳어졌다.

바닥에 쓰러진 동료들이 피를 흘리며 신음했다.

동시에 덮쳤던 동료는 세 명. 동료들 가운데서도 실력은 위에서 세는 게 빠른 이들이라, 이렇게 간단히 쓰러질 줄은 상상도 하지 못했다.

라이엘이 손에 든 사브르는 두 자루.

이도류로, 게다가 오른손의 한 자루는 자르사에게 겨누고 있었다.

"……네가 리더냐?"

실력자였던 동료들이 쓰러지자, 다른 이들이 뒷걸음질 쳤다.

자르사는 직감으로 깨달았다.

'위험해. 이 녀석은 위험해!'

라이엘 단 한 명 앞에서 자르사의 동료들이 움직이지 못하고 있다. 이럴 때 대처를 그르치면 한두 명씩 도망쳐서, 마지막에는 집단을 유지할 수 없게 된다.

주변이 자르사에게 보내는 시선은, 「자르사라면 이길 수 있다」고 말하고 있다. 여기서 자신이 싸우지 않는다는 선택지는 없다.

같은 모험가를 노리는 도적 같은 집단이다.

이런 이들을 이끌려면 머리가 좋은 것도 필요하지만, 무엇보다 힘이 중요하다. 누구보다도 강하기에 으스댈 수 있고, 주변에 명령을 내릴 수 있다.

'웃기고 있어. 이 쓰레기 놈들이!'

동료라고 해도 마음 놓을 수 없다. 조금이라도 빈틈을 보이면 자신에게 이빨을 드러내리라는 것을 자르사는 잘 알았다.

자신이 똑같은 일을 해왔으니까.

자르사는 천천히 호흡했다.

피 냄새가 난다.

동료의 피 냄새다.

그러나, 그건 지금까지 맡아온 익숙한 냄새다. 수십 개의 모험가 파티를 덮쳐서, 금품을 손에 넣고 잔혹한 짓을 벌여왔다.

'망할 꼬마가! 네 동료들은 특별히 꼼꼼하게 죽여주마. 울며 용서해달라고 빌 때까지 괴롭혀주겠어!'

머리털을 손으로 정리하고 레이피어를 들었다.

그 자세는 성격에 맞지 않게 깨끗했다.

"무척 기세등등하군. 혼자서 이만한 집단에 쳐들어온 만용은 칭찬해주마."

라이엘은 움직이지 않았다.

푸른 눈동자와 목에 매단 푸른 보석이 빛나고 있다.

"수습하려 하지 마. 너희들의 대화는 들었어. 이것저것 묻고 싶은 게 있는데."

자르사는 살짝 웃었다.

"조금은 대화를 즐길 여유가 있어도 되지 않을까? 아니면—."

아주 살짝 파고든 걸로밖에 보이지 않는 움직임으로 라이엘의 품까지 들어온 자르사는 승리를 확신했다.

'바보 같은 놈! 나는 아람사스에서도 이름난 검사라고!'

자르사는 확실히 아람사스에서도 손꼽히는 검사로 알려졌다. 그건 유명한 도장을 다녀서 면허개전을 받은 실력을 평가해줬기 때문이다.

그가 레이피어를 고른 것은, 갑옷 틈을 노려서 찌르는 기술이 있었기 때문이다.

자르사는 방어구의 빈틈에 레이피어를 찔러서 상대가 괴로워하는 걸 보는 게 좋았다.

그러나, 라이엘은 사브르로 자르사의 찌르기를 튕겨냈다.

'뭐, 뭣이!'

순간적으로 라이엘에게서 거리를 벌린 자르사의 뺨에 식은 땀이 흘렸다.

'내 스피드를 따라왔다고? 그런 아츠인가? 아니면 마구인가?'

상대가 마구를 가지고 있다는 건 듣지 못했다.

게다가, 아람사스에 와서 이름난 도장에 다니지도 않았을 거다.

다소 검을 다룰 수 있다고 생각하기는 했지만, 상상 이상이었다.

자르사는 그런 속마음을 내색하지 않으려 애쓰며 말했다.

"지금의 찌르기에 따라오다니 실력은 좋군. 어때. 동료가 되지 않겠어?"

그의 말에, 라이엘은 묵묵히 사브르를 겨눴다.

자르사는 주변에 여유를 보여주기 위해, 마치 연극처럼 과장되게 실망했다.

"친하게 지낼 수 있을 줄 알았는데 말이야."

파고들어 연속 찌르기를 날렸다.

두 사람의 검이 부딪히자 불똥이 튀었다.

라이엘과 검을 마주할 때마다, 자르사의 가슴에 초조함이 쌓였다.

'뭐가 이렇게 강해! 대체 뭐냐고!'

페인트나 혼신의 일격도 여유롭게 피한다.

자르사가 필사적으로 공격하고 있기에, 주변에서는 자르사가 우세한 것처럼 보이는지 동료들이 끓어올랐다.

그러나, 자르사 본인은 라이엘이 괴물로 보였다.

어떤 공격도 통하지 않는다. 자신이 가진 기술이 통하지 않는다.

소매에 숨기고 있던 시야를 무력화시키는 도구를 왼손으로 쥐자, 그걸 던지기도 전에 왼손째로 베어버렸다.

"끅!"

왼손에 아픔이 느껴지며, 상처 부위가 뜨거워졌다.

오른손으로 든 레이퍼어로 라이엘의 얼굴을 노렸지만, 회피당하면서 박치기를 맞았다.

'이, 이 자식!'

라이엘이 예의 바른 정통검술만이 아니라 실전 형식의 전투에도 익숙한 것을 느낀 자르사는 위기감을 느꼈다.

거리를 벌려 오른손등으로 코를 닦자 피가 흘렀다.

"자르사가 졌어?"

"바, 바보 같은 소리 하지 마. 이것도 평소의 연기일지도 모르잖아."

"맞아. 자르사 씨의 유흥인 게 분명해!"

때때로, 일부러 싸우는 상대에게 승리를 확신하게 만든 뒤, 거기서부터 진짜 실력을 보여주는 촌극을 벌여왔다. 그런 짓을 하던 이유는, 상대가 기고만장한 모습을 보는 게 즐거웠기 때문이다.

그러나, 지금은 다르다.

'대체 뭐야. 시골뜨기 귀족이란 소리를 지껄인 놈은 대체 누구냐고. 이 녀석, 이런 나이에 어째서 이런…… 응?'

그러나, 자르사는 눈치채고 말았다.

라이엘은, 이렇게나 실력차가 있는데도 자르사에게 마무리를 가하지 않고 있다.

쓰러진 동료들을 보니, 아직 신음하고 있다. ……살아있다.

그리고 라이엘은 전투에 익숙하기는 해도, 무척 젊다.

'……크크, 크크크! 그래. 그런 건가.'

이 자리에 동료가 없는 것도 잘 생각해보면 납득이 간다.

라이엘이 자신들의 시선을 모으는 사이, 뒤에서 공격을 가할 기색도 없다.

이건 즉―.

"너…… 사람을 베어본 적이 없구나."

라이엘의 표정이 조금 일그러졌다.

자르사가 웃었다.

"이런 녀석들 있다니까! 성실하게 마물 상대로 목숨을 빼앗는 법을 배웠지만, 사람 앞에 서면 주저하는 녀석 말이야! 너도 그놈들과 똑같아."

라이엘은 침묵했다.

자르사는 신사로 꾸미는 것을 멈추고, 추악한 미소를 지었다.

"너희는 정말 바보라니까. 마물은 죽여도 인간은 죽일 수 없습니다? 멍청하기는! 살해라는 건 변하지 않는데 뭘 폼 잡고 있는 거냐. 뭐, 덕분에 너는 나를 이기지 못하는 거지만."

사람을 죽이는 것에 기피감이 강한 모험가는, 주로 젊은 모험가나 성실한 모험가인 경우가 많다.

모험가로 활약하다 보면, 때때로 전장에 서기도 한다.

그러나 사람과 싸우는 걸 피하는 모험가가 있다.

자르사는 그걸 이해할 수 없었다.

모험가라면 같은 모험가를 사냥하는 게 더 효율 좋게 벌 수 있다. 고생해서 수많은 마물을 쓰러뜨려 모으는 성과를, 단 한 번만 싸우면 전부 손에 넣을 수 있으니까.

쓰러뜨린 녀석이 가진 무구나 짐도 비싸게 팔 수 있다.

그래서 전장에 나가면 마을을 습격하며 돌아다닌다.

자르사 일행은 도적과 다르지 않았다.

"어느 시골뜨기 귀족 도련님인지는 모르겠지만, 기사도 정신이라도 되는 거냐? 고결한 정신이라는 걸 끌어안고 죽어라, 바~보!"

자르사가 라이엘을 덮쳤다ㅡ.

ㅡ장소는 지하 29층.

야영할 장소를 변경한 노웸 일행은 무장한 상태로 대기했다.

누군가가 자신들을 노릴지도 모른다고 생각하니 긴장을 풀 수 없었다.

입구에는 미란다가 와이어를 쳐서 침입자를 막는 장치를 걸었다.

창을 든 아리아가 다가오는 발소리를 포착했다.

"누군가 오고 있어. 이거, 미란다 쪽인가? 포터에 타지는 않은 것 같아."

방으로 돌아온 것은 미란다와 샤논, 그리고 불만스러운 표정의 뽀용뽀용이었다.

미란다는 안으로 들어와서 해제한 와이어를 다시 쳤다.

세 사람만 돌아온 걸 본 노웸이 즉시 따졌다.

"라이엘 님은요!"

미란다가 고개를 내저었다.

"돌아가라는 말만 하더라. 설득할 여유도 없었어. 혼자 돌격한대."

노웸은 평소보다 험악한 표정으로 뽀용뽀용을 노려봤다.

"주인을 방치하고 도망쳐온 건가요?"

그런 노웸에게 반박하는 뽀용뽀용도 불만스러워 보였다.

"저도 남겠다고 주장했다고요! 하지만 네가 없으면 두 사람이 무사히 돌아갈 수 없을 거라고 해서…… 명령에는 거스를 수 없어요."

마지막 말에는, 바라던 바가 아니라는 마음이 전해졌다.

분통해하는 뽀용뽀용의 목소리에 전원이 입을 다물었다.

샤논이 오들거리면서 시선을 이리저리 돌렸다.

"저, 저기…… 괜찮겠지? 그 녀석, 혼자 쳐들어갔지만 살아서 돌아오겠지?"

그 질문에 소피아가 벌레 씹은 표정을 지었다.

"지금부터라도 가세하러 가야 하지 않을까요? 상대의 숫자는 틀림없이 많을 텐데요?"

미란다가 정확한 숫자를 알려줬다.

"샤논과 뽀용뽀용이 확인해 보니까, 25명이었어. 뭐, 그 자리에 있는 인원만 25명이겠지. 초조해하고 있던 것 같지만,

지금쯤 어떻게 되었을까?"

샤논이 가진 마안의 능력은 마력을 시인하고 조작하는 것이다. 멀리 있어도 마력의 진동을 이용해서 대화를 엿들을 수 있다.

샤논이 아래를 보며 스커트를 손으로 움켜쥐었다.

"그 녀석들, 다른 동료가 더 있는 것 같았어."

노웸이 지팡이를 움켜쥐고 방에서 나가려 하자, 미란다가 어깨를 잡았다.

"놔주실래요? 당신을 상대할 여유는 없어요."

미란다는 노웸이 노려보는데도 태연한 표정이었다.

"어머, 소중한 라이엘 님을 못 믿는 거야?"

노웸은 처음부터 이 계획에 반대였다.

낌새를 보고, 무리일 것 같으면 돌아오겠다고 라이엘이 말했기에 인정한 것이다.

그런데 혼자 돌격하다니, 그런 말은 듣지 못했다.

"소중하기에 내버려 둘 수 없어요. 그러니까 반대한 거예요. 어째서 언제나 이런—."

아리아도 행동을 보였다.

"내가 먼저 가서 라이엘을 구할게."

소피아도 배틀 액스를 짊어졌다.

"중량을 조작하면 저 자신을 가볍게 해서 아리아에게 업혀서 갈 수 있어요. 둘이서 가면 어떻게든 될지도 몰라요."

클라라는 조금 고개를 수그렸다.

"이럴 때, 서포트는 도움이 되지 않네요. 데러가 주신다면 포터의 조종은 할 수 있을 것 같지만요."

모두 라이엘에게 가려고 했지만, 이번에는 뽀용뽀용이 입구에 서서 양손을 펼쳐 막았다.

아리아가 뽀용뽀용의 어깨를 잡았지만, 꿈쩍도 하지 않았다.

"잠깐만! 왜 방해하는 거야. 너 진짜로 망가진 거 아니야?!"

뽀용뽀용은 고개를 내저었다.

"치킨 자식의 명령이에요. 여기는 통과할 수 없어요."

노웸이 적의를 드러내며 지팡이를 들고 마법을 사용할 준비에 들어갔다.

소피아가 노웸을 제지했다.

"노웸 씨, 잠깐만요!"

"이거 놓으세요. 라이엘 님에게 갈 거예요."

미란다는 무서워하며 자기를 끌어안은 샤논을 안아서 나무 상자 위에 올려놨다.

그리고는 자기도 앉아서 전원의 시선을 모았다.

미란다에게 고함친 것은 아리아였다.

"너, 이럴 때 뭐 하는 거야!"

여유를 보이는 미란다는 아리아에게 미소를 지었다.

"얌전히 기다리는 거야."

보고도 몰라? 라고 말하려는 태도에 노웸이 조용한 분노를 쌓아갔다.

"……미란다 씨. 당신이 라이엘 님의 제일이 되겠다고 말한 건 거짓말이었던 모양이네요. 그 태도, 라이엘 님이 죽어도 된다고 생각하시는 건가요?"

미란다는 무표정한 노웸에게 반론했다.

"농담이지? 지금도 노리고 있고, 지시대로 대기하고 있을 뿐이야. 나는 라이엘의 의견을 존중하거든."

소피아가 강한 말투로 미란다를 질책했다.

"아무것도 하지 않는 거나 다름없잖아요! 그런 건 저버리는 것과 똑같아요!"

샤논이 미란다에게 달라붙어 울먹이자, 전원이 약간 말투를 누그러뜨렸다.

그러나, 이러는 사이에도 라이엘이 위기 상황에 빠졌을지도 모른다.

노웸은 뽀용뽀용을 곁눈질했다.

'저 오토마톤을 파괴하고 라이엘 님에게 달려가려면 시간이 걸려. 하지만, 할 수밖에ㅡ.'

미란다가 만든 실 따위는 무의미하지만, 처음부터 그건 고려하지 않았다.

라이엘을 구하기 위해 최선의 방책을 고려하며 실행하려 하자, 미란다가 노웸을 보며 웃었다.

"너희들. 조금은 라이엘을 믿으라고."

그 말에 노웸의 움직임이 멈췄다.

"……무슨 말을 하고 싶은 거죠?"

"확실히 철부지고 얼빠진 구석은 많아. 정신 연령도 샤논과 비슷한 정도일까? 보고 있으면 미덥지 못하고, 내버려 둘 수 없다는 마음도 이해해."

미란다는 고개를 기울이며, 전원을 도발하듯이 말했다.

"하지만. 내가 좋아하는 라이엘은…… 이 정도는 넘어설 수 있어."

노웸이 미란다를 돌아봤다.

"만약 라이엘 님께 무슨 일이 생기면, 책임을 지겠다는 건가요?"

"있을지도 모르지만, 확률적으로는 낮다고 생각하는데. 뽀용뽀용, 네가 보기에 라이엘은 약해? 그 녀석들에게 질 것 같아?"

뽀용뽀용은 입구를 지키며 대답했다.

"치킨 자식이 약하다? 설마요. 만약 약했다고 해도, 요 몇 달 동안 식사, 수면, 트레이닝 등등 서포트를 해온 건 이 뽀용뽀용이에요. 약할 리가 없죠."

아리아가 생각한 것을 솔직하게 입에 담았다.

"뭔가 이상한 포즈라든가 춤 동작 같은 걸로밖에 안 보이던데. 곡예 연습이라도 하는 줄 알았어."

소피아도 클라라도 끄덕였다.

샤논은 다들 그렇게 생각하고 있었다는 것에 은근히 쇼크를 받았다.

뽀용뽀용은 깊은 탄식을 내뱉고는 고개를 들었다.

"이 뽀용뽀용을 얕잡아보고 있네요. 뭐, 귀여운 뽀용뽀용을 외견으로 판단하는 건 어쩔 수 없지만요. 요 몇 달간 치킨 자식은 놀고 있던 게 아니에요. 패배라니— 있을 수 없어요."

뽀용뽀용은 라이엘의 승리를 확신하고 있었다—.

제64화 도적

처참한 현장에서, 나는 구토에 시달렸다.

솟구치는 불쾌감을 억누를 수 없었다.

몇 번이고 봐온 광경인데, 그게 사람으로 바뀌었다는 것만으로도 이렇게 달라지는 건가 싶어 가슴에 손을 댔다.

시선을 둔 곳은, 레이피어를 움켜쥔 채 바닥을 굴러다니는 오른팔이다.

역대 당주들은 이런 내 모습을 보며 한심하다고 말했다.

사실 구토할 만한 일도 아니다.

……나는, 적을 죽이지 못했으니까.

2대는 불만스러워 보였다.

『라이엘. 어째서 주저한 거냐?』

격퇴한 모험가들은 도망쳐버렸다. 남아있는 건 쓰러진 녀석들뿐이다.

팔이 날아간 자르사라는 남자도 가까스로 도망쳤다.

"……할 수 없었어요."

이유를 안다면야 고생하지 않겠지만, 상대에게 칼날을 내려치는 순간 주저하는 바람에 살짝 물러나고 말았다.

그래서 상대는 오른팔을 잃었지만…….

3대가 어이없어했다.

『라이엘. 할 때는 해야 해. 이 대가는 비싸게 치를 거라고 생각하는 게 좋아.』

사람을 죽이겠다고 결정하면, 역대 당주들은 주저함이 없다.

가치관이 달라도, 시대가 달라도…… 이것만큼은 변하지 않는 신념인 것 같다.

4대는 주변 광경을 보고 앞으로 해야 할 일을 판단했다.

『짐은 태워버린다고 한다면, 근처 방에 따로 짐을 놔둔 방이 있겠죠. 그곳도 칠까요.』

5대는 냉정했다.

『분노해서 죽을힘을 다해 우리에게 덤비는 것보다는, 동료에게 도움을 요청할 확률이 높겠어.』

6대는 시시해 보였다.

『거기를 치면 편할 텐데 말이죠.』

내 동료들은 여성뿐.

샤논은 아직 어리니까, 이런 광경을 보여주는 건 마음이 걸렸다.

역대 당주들도 샤논에게는 이 광경을 보여주고 싶지 않던 것 같다.

7대는 분명 미소를 짓고 있으리라 상상할 수 있는 말투였다.

『마물이 우글거리는 이 미궁 안에서, 제대로 장비도 짐도 없이 도망친다. 글쎄. 그 바보들 중에서 과연 얼마나 동료들에게 도달할 수 있을지.』

4대가 의견을 정리했다.

『그럼, 짐을 보관해둔 곳까지 갈까요. 다행히 가깝습니다. 포터가 방해를 해서 그곳으로 도망치지 못했던 것 같으니, 전부 처분하도록 하죠.』

나는 입가를 닦고 포터에 타서, 자르사 일당이 물자를 보관해둔 방으로 이동했다.

샤논과 뽀용뽀용이 적의 위치 등등 이런저런 정보를 가르쳐둔 덕분에 살았다.

역대 당주들의 말대로, 처음부터 아츠 같은 건 필요 없었다.

그대로 방에 도착한 나는 짐을 발견했다.

파수꾼은 아무도 없다.

쌓여있는 물자를 향해 손을 뻗었다.

화염구를 만들어서 그대로 물자를 향해 날리자 불이 붙으며 물자들을 태워버렸다.

2대는 냉정했다.

『그럼 돌아갈까. 추격해와서 노웸 쪽에 피해가 나오는 것도 바보 같을 테니.』

7대가 무척 밝게 말했다.

『추격해올 근성이 있다면, 다시 맞받아칠 뿐이죠. 그나저나 라이엘…… 적의 수장은 쳐냈어야 한다. 우두머리를 치는 건 중요해.』

나는 뭐라 말하지 못한 채, 포터를 타고 노웸 일행 곁으로 돌아갔다.

―자르사는 잃어버린 오른손에 천을 감았다.

지혈한 뒤, 겨우 물자를 회수하기 위해 돌아와서는 무릎부터 무너졌다.

왼손에 든 것은, 동료에게서 빼앗은 검이다.

눈앞에는, 물과 식량― 그리고 대량의 물자가 타버린 흔적.

다른 동료들이 물자로 달려가서 확인했지만, 대부분 못 쓰게 되었다는 것을 확인했을 뿐이었다.

자르사는 잃어버린 오른팔을 봤다.

"그 빌어먹을 꼬마…… 웃기고 있어어어어!"

분노가 솟구쳤다.

동료들을 대부분 잃었다. 특히, 실력 있는 동료가 없어진 것이 크다. 남은 것은 전력이 되지 않는 잔챙이와 짐꾼뿐이다.

잃어버린 물자나 장비품을 다시 살 자금은 있더라도, 잃어버린 동료를 보충하는 건 간단하지 않다.

덤으로 자신은 주로 쓰는 팔을 잃었다.

지금부터 예전 같은 규모의 파티를 편성하려면, 아무리 노력해도 몇 년의 시간이 걸릴 것이다. 아니, 십 년이 걸리더라도 이상하지 않다.

"나를…… 이 나를 화나게 만들었겠다. 절대로 용서할 수 없어!"

머리에 피가 오르기는 했지만, 자르사는 뒷일을 생각했다.

'우리만으로 미궁에서 탈출하는 건 불가능해. 베닐에게 주워달라고 할 수밖에 없어. 그 귀족 꼬마― 루돌을 해치우면 다소 자금 여유도 생기겠지. 오른팔은 의수로 바꾸고, 다시 실력을 길러서 이번에야말로 그 빌어먹을 꼬마를…….'

거기까지 생각했을 때, 방에 집단이 접근하는 소리가 들려왔다.

"이럴 때 마물이?"

무기를 들고 대비하자, 그곳에는 망치를 짊어진 베닐의 모습이 있었다.

"베닐! 여어, 형제!"

자르사는 이 상황에서 희망을 찾아내며 웃었다.

베닐이 다가왔다.

"네 동료가 우리가 있는 계층까지 왔지. 달려와 보니 꽤 심각한 상황이잖아, 자르사. 뒤처리하는 게 누구인 줄 알기나 하냐?"

자르사는 베닐의 고압적인 태도에 반발하고 싶었지만, 지금의 자신은 압도적으로 불리한 처지였다.

"미안, 베닐. 그 빌어먹을 꼬마가 생각보다 강해서."

"변명 같은 건 듣고 싶지 않아."

베닐이 짊어진 망치를 들어 올렸다.

"베, 베닐?"

자르사의 얼굴이 굳어졌다. 베닐은 주변에서 보고 있는 자르사의 동료들에게 말했다.

"너희들. 여기서 죽을지 나를 따를지 결정해라. 따르지 않는 놈은—"

자르사는 도망치려 했지만, 부상을 당해서 체력도 없었다. 베닐의 망치에서 도망치지 못하고 그대로 머리가 뭉개지고 말았다.

"이렇게 될 거다."

전원이 베닐을 따르겠다고 맹세했다.

베닐은 자신의 수염을 어루만졌다.

"자르사. 너는 예전부터 싫었어. 그 사이비 신사 흉내는 구역질이 났지."

베닐은 남아있는 자르사의 동료들을 세어봤다.

"고작 여덟 명인가. 뭐, 나머지는 마물이 청소했을 테니, 신경 써봤자 별수 없나. 너희들, 지금부터 내가 너희들의 두목이다."

새로 인원을 늘린 베닐은 수염을 어루만지며 뒷일을 고민했다.

"어디, 자르사는 빌어먹을 놈이었지만 실력은 진짜였지. 그걸 쓰러뜨렸다면, 위험하겠어."

신중한 베닐은 한번 물러날 것도 상정하며 의뢰주인 루돌에게 보고하러 갔다―.

내가 노웸 일행과 합류하자, 다들 다치지 않았느냐며 걱정해줬다.

"라이엘 님, 다친 데는 없으신가요?! 바로 옷을 벗어주세요!"

노웸이 걱정하면서 내 옷을 벗기려 했다.

저항할 기력도 없지만, 지금은 가만히 내버려 뒀으면 했다.

"괘, 괜찮아. 괜찮으니까."

"안 돼요. 적이 독을 소지하고 있었다면 어떡해요. 바로 확인할게요."

뽀용뽀용이 어이없어했다.

"치킨 자식에게 외상은 확인되지 않는데요."

그러나 노웸은 무시하고 내 몸을 확인하려 했다.

아리아 씨와 소피아 씨가 나를 책망했다.

"너 바보 아냐!"

"어째서 혼자 싸우신 거죠! 저희를 못 믿으시는 건가요?"

그 말에 어떻게 대답해야 좋을지 갈피를 잡지 못하고 있던 와중, 노웸이 두 사람을 노려봤다.

"지금은 조용히 해주세요."

두 사람이 노웸에게 눌려서 입을 다물자, 미란다 씨가 내게 젖은 타올을 가져다줬다.

"지금은 쉬게 두는 게 좋지 않아? 게다가, 평소의 여유가 안 보이는데— 노웸."

노웸의 손이 멈췄다.

보옥 안에서는 조금 전과는 달리 미덥지 못한 소리가 들려왔다.

『미란다는 조금 자중해줬으면 좋겠네.』

『으~음, 여자들의 싸움이라는 건가?』

『어째서 이렇게 위가 아파지는 걸까요. 저희는 기억 아닙니까? 몸 같은 건 없을 텐데 위가……..』

『……노웸이 너무 끼고돌아서 그런 것 같은데.』

『미레이아의 증손녀에게만 문제가 있다고 하지는 말아 주셨으면 하는데요.』

『……뭐, 지금은 쉬는 게 좋겠죠. 라이엘도 지쳤으니까요.』

체력적으로 지쳤다고는 생각하지 않는다.

그저, 정신적으로 힘들다.

"노웸, 다친 데는 없으니까 괜찮아. 지금은 쉬고 싶어."

내 얼굴을 본 노웸이 시무룩해졌다.

"그런, 가요. 식사는 어쩌실 건가요?"

"무리야. 먹고 싶지 않아."

먹어도 토할 거다.

이 메스꺼움은 대체 뭘까?

노웸은 정말로 내가 걱정인지, 침상으로 갈 때까지 따라왔다.

─라이엘을 노리는 일행.

루돌은 쌓인 짐 위에 앉았다. 떨고 있는 모험가들을, 마치 쓰레기라도 보듯이 내려다보고 있었다.

"쓰레기들이. 대체 누구에게 의견을 내는 거냐"

깔아보는 곳에는 베닐과 그 동료 몇 명의 시체가 굴러다니고 있었다.

다른 모험가들이 떨고 있는 이유는, 루돌이 마법을 사용했기 때문이다.

반세임 왕국만이 아니라 다른 나라도 그렇지만, 애초에 귀족이란 즉 마법사다.

그들은 마법이라는 희귀한 힘을 가졌기에 권력을 얻었다. 마법이란 가진 자와 가지지 못한 자 사이에 명확한 힘의 차이를 낳는다.

베닐 일행의 시체는 타버렸다.

루돌보다도 전투 경험도 힘도 있었지만, 마법 앞에서 허망하게 살해당한 모습을 본 모험가들은 떨었다.

학원을 다니는 학생들 가운데서는, 이처럼 진짜 마법사도 존재했다.

루돌의 친구가 말을 걸었다.

"남은 녀석들은 어쩌지?"

같은 귀족이자 마법사인 친구에게는 루돌도 쓰레기 취급을 하지 않고, 짜증을 내지도 않았다.

"여기서 전원 없애버려도 되겠지만, 나를 위해 일한다면 용서해줄 수도 있지. 아람사스에서 쓸만한 장기말을 원했던 것은 사실이니까."

다른 친구도 찬성했다.

"아, 좋네. 친가와 달라서 불편하니까."

"살아남은 녀석은 고용해주는 것도 재미있겠어. 너희들, 죽을힘을 다해 일해라."

깔깔 웃는 루돌 일행 근처에는 무장한 기사들이 있었다.

그들은 루돌이 친가에서 불러온 정예들이었다.

단지, 루돌은 모험가들의 보고를 떠올렸다.

"그나저나, 강하다고 들었던 모험가도 잔챙이뿐인가. 시골뜨기 귀족에게 당해버리다니."

친구들이 어깨를 으쓱했다.

"모험가에게 과하게 기대한 거야. 그보다도 어쩌지? 여기서 기다렸다가 덮칠까?"

라이엘 일행은 반드시 자신들이 기다리는 곳을 지난다.

그걸 노리는 게 가장 편하다.

루돌은 잠시 고민했다.

"……글쎄. 가능하면 재미난 구경거리를 보고 싶은데."

떨고 있는 모험가들을 내려다본 루돌은 미소를 지었다.

악질적인 모험가의 리더였던 두 명이 사라지고, 귀족인 루돌이 최종적으로 남았다.

라이엘 일행을 습격하기 전에 동료들끼리 살육전을 벌였다.

지하 미궁에서 꿈틀대는 마물보다도 루돌 일행이 흉흉한 존재로 보였다—.

낮이 밝았다.

하룻밤 경계하던 뽀용뽀용이 프라이팬을 국자로 두드리며 모두를 깨웠다.

"아침이에요. 일어나주세요. 으~음, 오늘도 미궁 날씨는 정말 좋네요! 하늘같은 건 안 보이지만요!"

아침부터 텐션이 높은 뽀용뽀용을 보던 나는 머리맡에 놔둔 책을 들었다.

작명에 관한 책이다.

그대로 짐에 넣고 하품을 했지만, 꿈자리는 최악이었다.

아무튼 메스껍다.

잤는지 깨어있었는지도 모르겠다.

누가 머리를 휘젓는 듯한 감각과, 어제 사람을 베었던 감촉이 사라지지 않았다.

"라이엘 님. 좋은 아침이에요. 몸을 닦을까요?"

정신이 들자 식은땀이 굉장했다.

"그래, 부탁할게."

보옥 안의 역대 당주들도 평소였다면 이럴 때 투덜투덜 불평했을 텐데 조용했다.

노웸에게 그런 일을 시키다니~ 같은 말을 했었던 것 같은데, 오늘은 아침부터 조용하다.

그러자 미란다 씨가 통을 들고 내게 왔다.

"라이엘. 온수를 준비했어. 『내』가 닦아줄게."

나, 라는 부분을 강조하는 것 같았지만, 지금의 나는 그저 수긍할 뿐이었다.

아침부터 기분이 좋지 않다.

노웸이 미란다 씨를 보고 뭔가 말하고 싶어 하는 것 같았지만, 일어나서 내게 미소를 지었다.

"그럼, 저는 아침 준비를 시작할게요."

노웸이 나가는 뒷모습을 보며 「그래」 하고 말을 걸자, 미란다 씨가 내 몸을 닦아주기 시작했다.

그리고 작은 목소리로.

"샤논을 깨워서 주변 상태를 봤는데, 사람의 반응은 없는 것 같아."

나보다 일찍 일어나서 확인해준 모양이다.

"폐를 끼쳤네요."

미란다 씨가 웃었다.

"딱히 상관없어. 어제는 열심히 해줬으니까. 그래서?"

미란다 씨가 재촉하면서 요구한 것은, 아마 습격해온 녀석들의 정보겠지.

"모험가의 습격에 익숙한 파티였어요. 그 밖에도 동료가 있었던 것 같은데, 27층에는 없었으니까 더 위쪽 계층에 있을 거예요. 물자는 태웠으니까 도망친 녀석들은 동료와 합류했을지도 모르겠네요."

미란다 씨가 몇 번씩 끄덕였다.

"순순히 물러나 주면 좋겠네. 구해낸 사람들의 물이나 식량도 필요하니까, 물러나 줄 것 같기는 하지만."

사람이 늘면, 그만큼 물이나 식량을 소비한다.

구해낸 동료가 많으면 많을수록 그들은 자기 목을 죌 것이다.

"우리를 노리는 모양이었어요. 길드 카드를 회수했으니까, 지상으로 돌아가면 이것저것 확인해 보죠. 한동안 답답한 생활이 이어질지도 모르겠네요."

미란다 씨가 미소 지었다.

"어쩔 수 없지. 그걸로 안전이 손에 들어온다면 참을게. 그보다 라이엘…… 다음 계층 보스 말인데, 나한테 맡겨주지 않을래?"

미란다 씨는 그렇게 말하며 내게 몸을 기댔다.

몸을 닦아주는 건지, 약간 비누 냄새가 났다.

『미란다는 뭐랄까, 그야말로 어그레시브하네.』

적극적이라기보다는, 공격적이라고 말하고 싶은 거겠지.

3대가 그런 말을 했다.

클라라 씨와 샤논은 포터에 올라탔다.

다른 이들은 내려와서 금속판을 들고 있다.

빛의 선— 뽀용뽀용의 말에 따르면 『레이저』라고 부르는 것을 막는 방패는, 뽀용뽀용이 직접 만든 것이었다.

소피아 씨가 방패를 들고 한 마디.

"왠지 미덥지 못하네요."

경량화를 위해 얇게 만들어서, 그냥 때려도 자국이 남을 정도다. 모종의 도료를 발라서 계층 보스인 원기둥형 물체에서 발사되는 레이저를 막는다고 한다.

뽀용뽀용이 방패를 두 개 들었다.

"무례한 사람이네요. 애초에 튼튼하게 만들어도 저 원기둥에게는 무의미해요."

어른 2인분의 폭에, 높이도 3미터나 되는 저 원기둥은 매우 무겁다는 특징이 있다.

그런 무거운 원기둥 보스가 불안정하게 떠서 몸통박치기를 먹이면 어른이라도 뭉개지고 만다.

방패 따위는 처음에 날아오는 레이저를 막는 역할만 하면 충분한 셈이다.

아리아 씨가 방패를 들고 미란다 씨를 봤다.

"정말로 혼자 할 거야?"

미란다 씨는 허리춤에 찬 나이프나 도구를 보여줬다.

"이것만 있으면 충분해. 무슨 일이 생기면 지켜줘, 라이엘."

내게만 어필하는 미란다 씨를 노웸이 차가운 눈으로 지켜봤다.

2대가 나지막하게 중얼거렸다.

『왠지 어제부터 노웸이 무서운데.』

2대, 3대, 4대는 노웸에게 다정하지만, 5대 이후는 미란다 씨나 샤논에게 다정하다.

5대는 평소에는 흥미 없어 보이면서도 오늘만큼은 여러모로 신경이 쓰이나 보다.

『……노웸보다 미란다가 더 낫지 않아? 노웸은 라이엘에게 너무 물러.』

3대가 그냥 넘어갈 수 없다는 듯이 반론했다.

『혼수품을 팔아서까지 라이엘을 따르고 있는 노웸이 어울리지 않는다고? 그건 좀 용납할 수 없는 말인데.』

보옥 안에서 의견이 갈려서 싸우기 시작했지만, 나는 무시하고 미란다 씨에게 말을 걸었다.

"너무 무리하지는 마세요."

미란다 씨는 미소 지으며 대답했다.

"보고만 있어. 아리아와 소피아만 노력하던 게 아니니까."

지하 30층.

보스 방 앞에서 대기하던 우리는 일제히 안으로 들어갔다.

방패를 든 우리가 앞장서고, 그 뒤로 미란다 씨와 포터가 따라왔다.

원기둥의 외눈에서 빛이 발사됐다.

그러자 소피아 씨가 그것을 받아냈다.

"저, 정말로 빛— 레이저를 막았어?!"

방패는 어엿하게 역할을 완수해서, 원기둥에서 발사된 레이저를 막아냈다.

미란다 씨가 소피아 씨 뒤에서 뛰쳐나와 원기둥을 향해 뭔가를 던졌다.

아리아 씨가 미란다 씨를 감싸기 위해 달렸다.

"점토? 그런 걸 뭐에 쓰려는 거야."

그것은 손바닥 사이즈의 가늘고 긴 네모난 점토. 던져서 원기둥에 맞자, 형태를 바꿔서 달라붙었다.

"아뇨, 저건—"

노웸이 눈치챘는지 뭐라 말하려 했지만, 미란다 씨가 먼저 설명했다.

"그냥 점토가 아니야. 이렇게— 아, 빛과 소리에 주의해."

미란다 씨는 원기둥에 달라붙은 점토에 나이프를 던져서 꽂았다.

직후, 점토가 발광하며 폭발을 일으켰다.

"엥?!"

정신이 들자, 원기둥은 공중에서 회전하면서 벽에 격돌했다.

바닥에 떨어지자, 미란다 씨는 다시 점토를 던졌다.

"어머, 튼튼하네. 하나로는 역시 부족했나. 약점은…… 저길까?"

그렇게 말하며 점토를 원기둥의 외눈에 던지고는 다시 나이프를 투척했다.

점토에 꽂히자, 발광과 동시에 연기가 발생하며 원기둥을 날려버렸다.

방 안에서 폭음이 울려서 귀가 따갑다.

몸속까지 울리는 소리에 아연실색하는 사이, 원기둥은 움직이지 않게 되었다.

뽀용뽀용이 원기둥에 접근했다.

"……기능이 정지됐네요."

미란다 씨가 우리를 돌아봤다.

"두 번째라서 편했어. 이러면 쉽게 쓰러뜨릴 수 있겠다 싶었는데, 잘 풀려서 다행이야."

6대가 아연실색했다.

『서, 설마 폭탄을 만들고 있었던 건가?』

7대가 들뜬 모습으로 말했다.

『엄청난 위력. 게다가 점토다! 휴대가 편해. 버스트 애로라는 장난감과는 비교조차 할 수 없어!』

폭탄을 무척 좋아하는 7대는 흥분하면서 점토를 흥미진진하게 바라봤다.

나는 미란다 씨에게 다가갔다.

"설마 그 점토를 대량으로 들고 다녔나요? 포, 폭발 같은 건 괜찮아요?"

내 걱정을 짐작한 미란다 씨는 특별 제작한 나이프를 보여 줬다.

"이 나이프와 세트로 폭발하게 해놨어. 뭐, 수제니까 그리 많이 비축할 수 없는 게 귀찮긴 하지만."

수제 폭탄을 만든 모양이다.

떠올려보니, 나는 이 사람의 폭탄에 끔찍한 꼴을 당했었지.

7대의 흥분이 멈추지 않았다.

『직접 만들다니! 근사하군. 역시 고모님의 증손녀!』

6대는 복잡한 심경인지 어색한 반응이었다.

『야, 야. 그만둬. 미레이아가 폭탄마 같잖아. 너와 같이 취급하지 말라고.』

7대가 마치 폭탄마 같다는 발언이 들렸지만, 나는 내부에서 연기를 뿜어대는 계층 보스 원기둥을 바라봤다.

클라라 씨가 포터에서 내려왔다.

"그럼 마석과 소재를 회수할게요."

샤논도 내려오더니, 조심조심 미란다 씨가 쓰러뜨린 원기둥을 건드렸다.

"왠지 이상한 생물이네. 뭔가 살아있지 않은 것 같아."

내부는 확실히 생물이 아니라 기계다.

아람사스 미궁에만 나온다고 하는데, 무척 신기한 계층 보스다.

"이걸로 아츠 사용도—."

이렇게 간단해도 되는 건가? 지금까지의 일을 떠올리며 의외로 허망하다고 생각했는데, 뽀용뽀용이 내게 돌진해왔다.

"—너, 갑자기 무슨!"

밀려났다가 돌아보며 본 광경은— 내게 등을 돌린 뽀용뽀용에게 차례차례 화살이 꽂히는 광경이었다.

그대로 화살이 꽂힌 부분에서 불꽃이 뿜어져 나오더니, 얼음이 뽀용뽀용의 몸을 감싸며 터졌다. 바람이나 자전(紫電)이 난무하고, 다른 마법들도 계속 날아와서 나를 덮쳤다.

뽀용뽀용은 그것들을 모두 내 방패가 되어서 막아냈다.

평소의 장난스러운 모습은 없고, 물러나라고 말해도 무시하며 내 앞에 섰다.

마시(魔矢)와 마법의 끊임없는 공격이 끝나자, 거짓말처럼 조용해졌다.

동료들의 시선은 입구로 향했지만, 나는 뽀용뽀용의 뒷모습에서 눈을 떼지 못했다.

"야, 뽀용뽀용!"

내가 뽀용뽀용에게 달려가자, 그곳에는 양팔로 머리를 지킨 뽀용뽀용의 모습이 있었다.

"—너, 너, 어째서."

왼팔은 팔꿈치 앞쪽이 사라졌다. 빠직빠직 소리를 내며 전

기가 방전하고, 복부에는 붉은 체액이 흐르고, 맨들맨들한 금속 색상을 가진 것들이 보였다.

보호하던 머리 말고는, 대부분 너덜너덜했다.

자랑하는 트윈테일도 타버려서 흐트러졌고, 이것만 있어도 충분하다던 메이드복 역시 흔적도 없다.

뽀용뽀용의 피부는, 사람과 다르지 않은 색. 흐르는 체액도 붉은색이지만, 내부 구조는 틀림없이 기계.

오토마톤이었다.

사람이었다면 즉사해도 이상하지 않은 상태다.

"너— 왜 나를 감쌌어!"

내 말에, 뽀용뽀용은 그 붉은 눈동자를 깜빡이며 어색하게 대답했다.

"무슨 소리인가요? 치킨 자식은— 제 주인님이에요. 몸을 던져 지켜내야죠. 뭐니 뭐니 해도 저는…… 메이드니까요."

더는 서 있을 수 없는지, 그렇게 말하며 무릎부터 무너진 뽀용뽀용을 받아내서 끌어안았다.

그때, 한 남자가 손뼉을 치며 나타났다.

"오토마톤과 인간의 사랑인가. 이야~ 좋은 걸 봤어. 최근 들어서 제일 많이 웃은 이야기라고."

웃는 남자 옆에는 비슷한 나이대의 남자가 두 명. 그들을 지키는 일곱 명의 검은 옷 호위가 보였다.

그리고 그들 뒤에는 방 입구를 막듯이 모험가풍 남자들이 몇 명 서 있었다.

그중에 몇 명은 본 적이 있다.

우리를 습격하려던 도적들이다.

검은 옷 호위들은 명백하게 모험가와는 움직임이 다르다. 정예겠지.

무기를 든 미란다 씨가 눈을 날카롭게 떴다.

"……루돌. 왜 당신이 여기에 있지?"

미란다 씨가 아는 사람이라는 건, 학원 학생이나 귀족— 혹은 양쪽 다다.

나는 움직이지 않게 된 뽀용뽀용을 끌어안았다.

루돌이라 불린 남자는 미란다 씨를 바라보더니 추악한 미소를 지었다.

"미란다, 나는 슬퍼. 네가 조금 더 영리했다면, 당연히 나를 선택했을 텐데. 같은 궁정 귀족이자 왕도 태생. 서로 모르는 사이도 아니잖아."

미란다 씨가 시선을 움직여 적의 숫자를 확인했다. 이어서 샤논을 지키고자 약간 이동했다.

클라라 씨가 그걸 짐작하고 샤논 앞에 섰다.

그 두 사람을 감싸기 위해 아리아 씨가 앞으로 나왔다.

주변 모험가들은 겁먹으면서 손에 무기를 들었다.

귀족으로 보이는 젊은 남자가 주변에 수많은 화살— 마시를 띄웠다.

화살촉은 전부 나를 겨누고 있다.

나는 이를 갈았다.

역대 당주들의 말이 떠오른다.

3대가 말했던 『대가』라는 것이, 내가 아니라 동료들에게 돌아온 거라는 생각이 안 들 수가 없었다.

"어째서 우리를 노리는 거지?"

내 말에 루돌은 살짝 짜증이 난 건지 미간에 주름을 잡았다.

"닥쳐, 시골뜨기 귀족 주제에. 원래 미란다와 결혼했어야 하는 건 나였다. 그런데 가문에서 쫓겨난 시골뜨기 귀족에게 빼앗긴 거다. 내 기분을 알겠나? 정말로 비참해지는 기분이었다고."

미란다 씨가 즉시 부정했다.

"그와는 아무 관계도 아니야. 그야말로 학원에서 몇 번 대화만 나눴을 뿐. 친가끼리의 관계는 다소 있지만, 약혼 같은 이야기는 없었어."

루돌 주변에 있던 친구 같은 학생들이 웃었다.

"루돌. 저렇게 말하는데 어쩌지?"

"정말로 철부지 아가씨라니까. 얌전히 루돌과 결혼했으면 좋았을 것을."

이 녀석들은 무슨 소리를 하는 거지?

혹시, 적반하장으로 이런 짓을 저지른 건가?

그렇다면…… 나는!

뽀용뽀용을 잡은 손에 힘이 들어갔다.

보옥 안에서는 5대의 목소리가 들렸다.

『라이엘. 상대해줄 것 없어. 이런 놈들은 친가에서 착각하며 자라난 타입이야. 자기들 마음대로 결혼을 정해놨다거나, 고작 그뿐이라고. 단지, 그런 바보가 힘을 가지고 태어났을 뿐이야.』

마법을 쓸 수 있기 때문인지, 루돌과 친구들은 무기를 갖고 있지 않다.

그중 한 명이, 자기 주변에 수많은 화살을 띄우고 있다. 그런 아츠겠지.

루돌은 미란다 씨를 보며 혀를 찼다.

"다정하게 대해주니 기어오르기는……. 중고라도 내 여자가 된다면 길러주려고 했는데 말이지."

아리아 씨가 참지 못하고 반론했다.

"너희들 아까부터 거만한 시선에다 뻔뻔스러워. 미란다를 목적으로 이런 짓을 벌이다니, 남자로서 최악이야!"

그런 말을 들었는데도, 루돌 일행 세 명은 웃었다.

검은 옷의 일곱 명만이 조용했다.

조금 전부터 한마디도 하지 않는다.

"넌 바보냐?"

"뭐, 뭐야! 바보 아니거든!"

갑작스러웠다고는 해도, 앵무새처럼 반론한 아리아 씨를 본 2대가 어이없어했다.

『그런 반론을 하니까 바보인 거다.』

루돌은 천박한 미소를 지으며 시선을 포터로 돌렸다.

"우리의 표적은 저거거든. 포터라고 했던가? 미란다 따위는 덤이야. 너희들, 자기들이 대체 뭘 만들었는지 잘 모르는 것 같은데."

나는 언제든 뛰어들 준비를 했다.

녀석들은 자신만만하게 말을 이었다.

"말이 필요 없는 마차. 이걸 원하는 녀석은 어디에나 있지. 포터를 독점한다면, 가만히 있어도 거금이 손에 들어오는 거다. 딱히 여자 따위는 필요 없어. 사크라이 자작가의 간판은 조금 매력적이었지만 말이지."

소피아 씨가 포터에 힐끔 시선만 옮겼다.

"……우리가 아니라, 처음부터 포터를 노리고 있었다?"

루돌이 내뱉듯이 말했다.

"너희 같은 여자는 필요 없어! 돈만 있으면 미녀는 얼마든지 모이고 손에 넣을 수 있지. 모험가나 하는 근육덩어리 같은 여자에게는 흥미도 없다고."

여성진은 덤에 지나지 않고, 노리는 건 포터였다.

4대가 중얼거렸다.

『흠. 착안점은 나쁘지 않군요.』

소피아 씨가 부들부들 떨었다.

"바보 취급하기는…… 애초에, 고작 그걸 위해서 뽀용뽀용 씨를 파괴한 건가요!"

뽀용뽀용의 이름을 듣자, 세 사람이 깔깔 웃기 시작했다.

"뽀용뽀용이래!"

"센스가 하나도 없잖아!"

"아니, 있어! 우리의 복근을 이렇게나 괴롭게 만든 센스는 칭찬해야 해!"

그 웃음을 보며 생각했다.

좀 더 제대로 된 이름을 지어줬어야 했다고.

세 사람이 웃는 가운데, 나는 뽀용뽀용을 천천히 바닥에 눕혔다. 이 이상 부서지지 않도록 다정하게 눕히자, 루돌이 입을 열었다.

"그래. 일단 현물이 있으니 해체해서 조사하면 되겠지만, 너희를 고문해서 정보를 듣는 것도 재미있겠어. 울면서 목숨을 구걸하는 쓰레기들을 보는 건 재미있단 말이지."

도저히 같은 인간으로 보이지 않았다.

아니면 반세임 왕국의 귀족은 이게 기본인가?

사브르 자루를 움켜쥐자, 뽀용뽀용이 나를 바라봤다.

"……치킨 자식. 아뇨, 주인님. 저는 당신을 만나서 다행이었어요."

"이제 말하지 마. 바로 데미언에게 데려가 줄게."

"저는…… 제조된 시대에서…… 눈을 뜬 적도…… 기동한 적도……."

"조금만 기다려. 전부 끝나면 당장 지상으로 이동하자. 네게 체력이 있는지는 모르겠지만, 그때까지는 아껴둬."

도저히 들어줄 수 없는 말을 무시하고 뽀용뽀용에게 말을 걸자, 루돌은 그게 마음에 안 든다는 듯이 혀를 찼다.

"……아까부터 인형놀이냐. 너, 조금 기고만장한 거 아니야?"

보옥이 약간 열기를 띠었다.

창자가 뒤집힐 것만 같다. 지금이라면 각오를 다질 수 있을 것 같다.

일어나서 루돌— 아니, 시선을 그들에게 돌렸다.

넓은 계층 보스 방은 원형으로 되어있다. 루돌 일행은 지하 29층으로 가는 입구에서 나타났고, 모험가들은 길을 가로막듯이 배치되어 있다.

그러나, 그들에게 모험가 따위는 버림패인지 배치도 어중간하다.

당혹스러워하는 모험가들을 마치 고기방패로만 생각하는 것처럼 보인다.

적의 숫자를 확인했다.

"야, 듣고 있는 거냐?"

얼굴을 찡그린 루돌을 무시하고 확인한 숫자는 40명을 넘었다.

경계해야 할 적은 마법이나 아츠를 사용하는 세 명과, 그 호위로 있는 검은 옷 일곱 명.

2대의 아츠가 방 전체를 내가 감지할 수 있는 영역으로 만들었다.

『몇 달만이군. 제대로 써라.』

3대의 아츠가 미약하게나마 적에게 간섭하기 시작했다.

『계층 보스를 쓰러뜨릴 때까지가 과제였으니까. 지금부터는 라이엘 뜻대로 하면 돼.』

4대의 아츠가 내 이동 속도를 상승시켰다.

『이거야 원. 처음부터 전력을 내면 될 텐데 말입니다. 적 앞에서 나불나불 떠들다니…….』

5대의 아츠가 주변 지형을 내게 알려줬다.

『습격할 때는 타이밍도 좋았는데, 어째서 스스로 우세를 내버리는 건지 이해할 수 없어.』

6대의 아츠가 적의를 보이는 적의 숫자를 알려줬다. 대다수가 루돌을 따르고 있을 뿐이지, 싸우고 싶어 하지는 않았다.

『궁정 귀족 얼간이들에게 현실을 가르쳐주자. 라이엘.』

7대의 아츠는, 지금은 쓸 수 없다.

『……참으로 화가 납니다만, 적을 죽이면 안 되겠지요.』

보옥을 손가락으로 굴렸다. 부정할 때의 신호였기에 5대가 답했다.

『딱히 이제 와서 살인은 나쁘다고 말하려는 게 아니야. 뒤쪽에 의식을 돌려봐.』

2대의 아츠로 의식을 돌리자, 클라라 씨의 보호를 받는 샤논이 떨고 있었다. 지금 상황이나, 뽀용뽀용의 모습을 보고 무서워하고 있다.

『너는 당장에라도 베어버리고 싶겠지만, 그걸로 샤논이 정신적으로 상처 입으면 안 되니까. 너를 위해서— 죽이지 마.』

부정하고 싶지만, 샤논은 지금 상태로도 한계에 가깝다.

역대 당주들은 살육전을 벌였다가 샤논의 마음이 상처받는 것을 염려하고 있었다.

반대로 말하면, 그것 말고는 저 녀석들을 살려둘 이유가 없다.

손끝으로 굴리던 보옥을 움켜쥐자, 얼굴을 새빨갛게 물들인 루돌도 한계가 온 모양이었다.

"이제 됐어, 저놈의 손발을 날려버려!"

루돌의 친구가 주변에 떠오른 마시를 차례차례 날렸다. 화살은 정확하게 내 손발을 향해 날아와서 무척 알기 쉬웠다.

미란다 씨가 내 앞으로 나와 감싸려 했지만, 나는 그보다도 빨리 앞으로 나섰다.

감싸려던 미란다 씨는 내 등을 보고 놀랐다.

노웸이 지팡이를 들고, 아리아 씨도 움직이려 했다.

소피아 씨가 배틀 액스를 들어 올리려 했다.

시각이나 청각만이 아니라— 온갖 정보들이 차례차례 아츠를 통해 흘러 들어왔다.

"이 감각 참 그립네."

몇 달만의 감각을 떠올리면서, 나는 왼손을 앞으로 내밀었다.

적이 마법사라면, 나 역시 마법을 쓸 수 있다. 왼손을 중심으로 마력으로 만든 장벽— 실드를 전개하자, 마시(魔矢)나 마법이 맞아서 표면에 폭발이 일어났다.

7대가 내게 말했다.

『마법사끼리의 싸움은 화려해진다. 하지만 실력차가 크게 나지 않는 한, 그저 화려하게 쏘기만 할 뿐이지. 상대도 실드를 치니까.』

일반인이 보기에는 불합리하겠지.

마법사만이 강력한 마법과 그걸 막을 수단을 가지고 있다.

자랑하는 아츠나 마법이 막히는 걸 본 루돌 일행은 앞에 놔둔 모험가들을 걷어찼다.

"싸워, 잔챙이들아!"

모험가들이 황급히 내게 다가왔다.

6대가 흥분했다.

『결국, 마지막에는 이렇게 칼로 맞부딪히게 된다! 마법사를 죽이려면 이제 제일이니까!』

최종적으로, 마법사끼리의 싸움은 실력차가 없다면 이렇게 근접전으로 승패가 정해진다고 한다.

─그거라면 문제없다.

왜냐하면, 내게는 초대의 아츠가 있으니까.

육체를 강화한다는 단순명쾌한 아츠는, 신체 능력을 향상시킨다.

덤벼든 모험가 한 명의 팔을 잡아서 루돌 일행에게 내던졌다.

루돌 일행을 지키는 검은 옷 집단이 모험가를 받아냈다.

저 녀석들이 제일 귀찮다.

죽일 수 없는 게 성가시다.

덤벼든 검은 옷 남자의 일격을 피하고 얼굴에 주먹을 먹여서 날려버리자, 모험가 몇 명이 말려들어서 쓰러졌다.

근처에 있던 모험가가 몽둥이에 철구가 붙은 무기를 내려쳤다.

왼손으로 받아냈다.

"힉!"

굳어진 표정을 지은 모험가 앞에서, 나는 왼손에 힘을 줘서 무기를 빼앗았다.

"너, 지금까지 대체 몇 명의 동업자를 죽여왔지?"

그렇게 물어보자, 남자는 갑자기 주변을 돌아보기 시작했다.

3대의 아츠 【마인드】의 효과는, 상대의 정신에 간섭하는 것이다. 공포에 빠진 모험가는 지금쯤 자기가 죽여온 동업자의 망령을 보고 있을 거다.

"아, 아니야! 나는 명령받았을 뿐이야! 그러니까, 나는 잘못 없─."

시끄러워서 복부를 걷어차 닥치게 했다.

빼앗은 철구를 다른 모험가에게 던졌다.

3대가 웃었다.

『어라, 라이엘을 처리하지 못하니까 모험가들이 꽁무니를 빼기 시작했는데.』

그 말대로, 루돌 일행에게서 떨어져 있던 모험가들이 통로로 도망쳤다.

"어, 어째서냐고!"

"이제 싫어어어어!"

"오지 마. 오지 마아아아!"

루돌이 외쳤다.

"너희들. 도망치면 몰살시켜─."

적 집단이 혼란에 빠졌다.

미란다 씨가 아츠를 사용한 실을 날려서 내게 다가오던 검은 옷 집단을 붙잡았다.

점착성이 있는 실에 휘감긴 두 사람이 움직이지 못하게 되었다.

이어서, 미란다 씨가 던진 나이프가 루돌의 친구 두 사람의 허벅지에 꽂혔다.

"힉! 아파. 아파!"

"피가! 피가 흐르잖아!"

두 사람이 한심한 소리를 내질렀다.

정신이 들자, 아리아 씨와 소피아 씨도 움직였다.

창을 거꾸로 들어 검은 옷 남자들의 복부에 찌르기를 먹이고, 배틀 액스로 베지 않게 조심하면서 배 부분으로 후려쳐 날려버렸다.

남아있는 검은 옷 남자들이 아리아 씨와 소피아 씨를 협공하기 위해 움직이자, 소피아 씨가 근처에 있던 모험가를 잡아들었다.

아츠로 중량을 가볍게 만든 모험가를 들어서 검은 옷 집단에게 내던졌다. 던진 순간 중량이 원래대로 돌아왔지만, 검은 옷 집단은 날아오던 모험가를 피했다.

다른 모험가를 길동무로 삼아 바닥에 쓰러진 모험가는 그대로 오랫동안 바닥을 굴렀다.

검은 옷 집단의 움직임이 흐트러지자 아리아 씨가 달려들어 창으로 후려쳐서 의식을 날려버렸다.

두 사람 모두 움직임이 좋은 검은 옷 집단이나 모험가들을 상대로도 밀리지 않았다.

노웰은 후방에서 서포트.

미란다 씨도 차례차례 모험가들을 구속해나갔고…….

루돌 주변에는 아무도 없어졌다.

"남은 건 너뿐인가."

우두커니 선 루돌은 우리를 보고 황급히 시선을 돌렸다.

그리고, 떨고 있는 샤논을 찾아냈다.

손을 샤논에게 들었지만, 나는 움직이지 않았다.

미란다 씨가 루돌에게 살의를 보냈다.

나는 손을 들어 기다리라는 의사 표시를 보냈다.

미란다 씨가 움찔 반응하며 움직임을 멈췄다.

"한눈팔지 말라고!"

루돌의 손에서 날아간 것은, 전격이었다.

샤논과 클라라 씨에게 일직선으로 날아간 전격은 실드에 막혀서 두 사람에게 닿지 않았다.

바닥에 주저앉아 신음하는 루돌의 친구들.

쓰러진 검은 옷 집단.

모험가들은 도망치고, 우두커니 서 있는 건 루돌뿐.

자랑하는 마법도, 우리 뒤에서 대기하는 노웰에게 막혔다.

지팡이를 손에 든 노웰이 입을 열었다.

"그 정도로 제 방벽을 뚫을 수는 없어요."

형세가 역전되자, 미란다 씨는 쓰러진 집단을 자신의 아츠로 만든 실로 구속했다.

나는 루돌 앞에서 사브르를 칼집에 넣었다.

"미, 미안해. 서, 서로 귀족이잖아. 그게, 이것저것 있잖아. 사, 사교 관계라든가⋯⋯."

루돌이 아양을 떨기 시작했다.

듣고 있으니 짜증이 나지만, 나는 천천히 다가갔다.

한발씩 다가갈 때마다 루돌의 말투가 더욱 친근해졌다.

"도, 돈이라면 줄게. 얼마나 원하지? 시골뜨기 귀족이 본 적도 없는 금액을 주겠어. 그러니까, 응?"

나는 미소를 지었다.

"필요 없는데. 스스로 벌 수 있으니까."

루돌은 시선을 옮겨서, 내 뒤에 있는 동료들을 보고 뭔가 떠올린 모양이었다.

"그럼 여자를 주겠어! 마음껏 줄 수 있다고!"

"필요 없는데."

내 소망은 단 하나다.

루돌이 절망한 표정을 지었다.

"나, 나를 죽이면 내 친가가 가만히 있지 않을걸! 내 친가 는—."

나는 루돌 앞에 서서, 시끄러운 입을 막기 위해 손으로 붙잡았다.

"이봐, 좀 닥쳐줄래? 나는 지금 기분이 엄청 안 좋아. 이유 는 말하지 않아도 알겠지?"

루돌은 내 얼굴에 손을 들어서 마법을 날리려 했다.

빈손으로 루돌의 팔을 잡아서, 그대로 뭉개버렸다.

살과 뼈가 부서지는 소리가 몸을 통해 전해졌다.

루돌이 버둥거리면서 절규하려 했지만, 입이 막혀서 목소리는 나오지 않았다.

눈에 눈물을 머금으며 날뛰었다.

암모니아 냄새가 난다.

"원래는 여기서 너를 베어버리는 게 편해. 그리고 싶기도 하고. 하지만, 누가 막았거든."

보옥 안은 조용했다.

내 행동을 보고 있는 것 같다.

"그러고 보니, 너…… 꽤 재미있는 소리를 하더라."

풀어주며 밀치자, 엉덩방아를 찧은 루돌은 울면서 목숨 구걸을 했다.

"용서해주세요. 사실은 조금 협박만 할 생각이었어요! 저, 정말이에요. 그래도, 그 녀석들이…… 모험가가 기고만장해서!"

타인의 잘못이라고 한다. 이 자리를 넘기기 위한 거짓말.

나는 루돌의 머리채를 잡아서 바닥에 얼굴을 처박았다.

"고문해주겠다, 였던가? 그 밖에도 있었지. 동료들을 어쩌겠다고?"

루돌은 팔의 통증과 공포로 눈물 콧물을 흘리고 있었다.

"용서해주세요. 제가 말한 게 아니라, 그놈들이 말한 거라고요."

루돌의 배신에, 움직이지 못하는 친구 두 사람이 항의했다.

"우리를 파는 거냐!"

"네가 즐거운 놀이를 떠올렸다고 했잖아!"

그러자 미란다 씨가 한 명의 얼굴을 걷어차고, 다른 한 명의 머리를 짓밟았다.

"닥쳐줄래? 나를— 샤논을 노린 의미가 뭔지는 알고 있겠지?"

미란다 씨의 친가는 궁정 귀족 자작가.

관직을 가진 역사 있는 가문이다.

그런 가문의 딸을 죽이고 미궁 안에서 증거 인멸을 꾀한 이 녀석들은, 간단히 말해서 지상으로 도망쳐봤자 기다리는 건 파멸뿐이다.

나는 루돌의 머리채를 강하게 움켜잡았다.

머리카락 몇 가닥이 뚝뚝 빠졌지만 개의치 않았다.

"이봐, 사실은 어쩌려고 했어? 전부 이야기해주겠지?"

3대의 아츠가 서서히 효과를 발휘했다. 루돌은 아픔에 울지 않게 되었고, 눈의 초점도 맞지 않게 되었다.

그대로 내 질문에 대답했다.

"……돈을 벌 수 있을 줄 알았어요. 미란다가 남자를 집에 들였다는 소문도 있어서, 화가 나서 괴롭히고 포터를 빼앗으려고 했어요."

동기가 치졸했다.

포터의 가치를 알아챈 것은 칭찬해줘도 되겠지만, 우리를 공격한 건 용서할 수 없다.

"너희에게 지시를 내린 인간은 있어?"

"없어요. 친가에 연락하니까 돈을 보내줬어요. 친가에서 조사해볼 테니까 실물을 보내라는 편지를 받았어요."

나는 어이가 없었다.

"사크라이 가와 다투는 것도 생각했어?"

루돌은 덤덤히 대답했다.

"사크라이 가의 이름이 나오면 귀찮아져서, 그건 숨겼어요. 철저하게 괴롭혀서, 미란다를 내게 거스르지 못하게 만들면 문제없을 것 같아서……."

7대가 한마디 했다.

『쓰레기 주제에.』

나는 하나만 더 확인했다.

"샤논은 어쩔 셈이었지?"

"……눈이 보이지 않는 여자는 필요 없어서, 미궁에 버릴 작정이었어요."

미란다 씨의 시선이 험악해졌다.

나는 루돌에게서 손을 놓은 뒤, 서라고 명령했다.

그리고 손뼉을 치자, 마인드에서 해방된 루돌이 통증에 인상을 찌푸리며 그 자리에서 주저앉으려 했다.

그대로 멱살을 잡았다.

"이 정도는 해도 용서해줄 것 같거든."

"―엥?"

멍하니 있던 루돌의 얼굴에 주먹을 날렸다. 틀어박힌 주먹은 루돌의 앞니를 부러뜨리고 코를 뭉개버렸다.

날아가서 바닥을 구른 루돌이 뭐라 절규했지만, 미란다 씨가 즉시 구속했다.

나는 여전히 잦아들지 않는 분노를 담아 주먹을 바라봤다.

"그런 이유로 습격한 거냐."

그저 돈이 필요해서, 그리고 화가 났다며 우리를 죽이려 한 루돌에게 화가 났다.

노웸이 내게 말했다.

"라이엘 님. 뽀용뽀용 씨가……."

돌아보자, 누워있는 뽀용뽀용에게 노웸이 모포를 덮어주고 있었다.

달려가서 뽀용뽀용의 얼굴을 볼 수 있는 위치에 앉았다.

뽀용뽀용은 아직 의식을 유지하고 있었다.

"……주인님…… 이제 시간이 없어요. 그전에 하나만…… 괜찮을까요."

눈물이 나오려는 걸 참고 말을 걸었다.

"바보. 바로 데미언에게 데려가 줄게. 그러면 원래대로 돌아갈 거야."

데미언이 정말로 오토마톤을 수리할 수 있을지는 모른다.

그러나 나는 이렇게 말할 수밖에…… 희망을 가질 수밖에 없었다.

눈물이 나왔다.

뽀용뽀용이 남은 손으로 내 눈물을 어색한 움직임으로 닦아줬다.

"늦을 거예요. 게다가…… 데미언 교수로는…… 그 전에, 하나만…… 저, 실은 뽀용뽀용이라는 이름…… 마음에 들었어요."

나는 뽀용뽀용의 손을 잡았다.

"미안해. 사실은 제대로 이름을 생각해놨었어. 하지만, 말을 꺼낼 수가 없어서…… 또 안 된다는 말이 나올까봐……."

사실은 계속 고민해왔었다.

하지만, 지금까지 말을 꺼낼 수 없었다.

뽀용뽀용이 미소 지었다.

"그럼…… 그 이름을…… 들어도 될까요? 저…… 계속…… 기다려 왔으니……까요."

점점 뽀용뽀용의 눈이 깜빡깜빡 약하게 빛나기 시작했다.

"뭐야. 작별 같은 소리 하지 말라고."

아리아 씨가 묵묵히 고개를 숙였다.

소피아 씨가 눈을 닦았다.

클라라 씨는 묵묵히 뽀용뽀용 씨를 바라봤다.

노웸은 내 옆에 앉아서 눈을 감았다.

그런 가운데, 미란다 씨는 묶어놓은 적들을 경계해주고 있다. 내가 뽀용뽀용에게 집중할 수 있는 시간을 만들어 주려는 것 같다.

뽀용뽀용의 목소리는 점점 듣기 어려워졌다.

"시간이…… 으니까. 그러니…… 그 전에……."

나는 눈물을 닦았다.

그리고 계속 고민해왔던 뽀용뽀용의 이름을 입에 담았다.

"【모니카】— 모니카야. 계속 고민했는데, 이게 좋을 것 같았어."

뽀용뽀용은 기뻐했다.

"모……니……카…… 좋은, 이름……이네, 요. 저……는…… 행복…… 어요."

나는 천천히 눈을 감는 모니카에게 말을 걸었다.

갑자기 힘이 빠지는 감각.

샤논이 고개를 도리도리 내저었다.

"거짓말! 거짓말! 말도 안 돼. 어째서…… 이건 말도 안 돼!"

혼란에 빠진 샤논을 클라라 씨가 안으며 달랬다.

"샤논 씨, 이제 됐어요. 재워드리죠. 뽀용뽀용 씨— 모니카 씨는, 라이엘 씨를 지킨 거예요."

"아냐. 아니라고!"

두 사람의 목소리가 들려왔지만, 나는 모니카를 잃은 허망함에 휩싸였다.

"내가…… 내가 좀 더 확실히 해놨으면 좋았을 텐데……."

노웸이 내게 다정하게 말을 걸었다.

"라이엘 님. 너무 자책하지는 말아 주세요."

"내가…… 좀 더…… 확실히……."

잃고 나서야 처음으로, 이 녀석이 지금까지 내게 얼마나 많은 일을 해주었는지 알았다.

치킨 자식이라며 바보 취급을 해도, 나를 제일로 두고 생각해줬다.

내가 좀 더 이 녀석을— 모니카를 다정하게— 대해, 줬다— 면.

보옥 안이 소란스러워졌다.

『이, 이봐. 뭔가 빨려가고 있지 않아?』

『급격하게 빨려가고 있네.』

『이건 또 어떻게 된 거죠?』

『이봐, 마력이 흘러가는 곳은 저 녀석이잖아?』

『뽀용뽀용인가요? 아뇨, 지금은 모니카였죠.』

『……앗?!』

7대가 떠올렸는지, 예전에 모니카가 했던 말을 입에 담았다.

『저 녀석, 저번에 말했었습니다. 라이엘과 마력 라인이 생겨났고, 거기서 에너지를 얻고 있다고. 그때, 확실히 수복에 관해서도 뭔가 말했었던 것 같은데요.』

나는 이, 힘이 빠져나가는 감각을 알고 있었다.

아직 마력이 적었을 무렵, 보옥 안에서 소란을 부리는 역대 당주들 탓에 마력을 빼앗겨 왔으니까.

그때와 감각이 비슷하다.

아니, 그 이상의 마력을 빨아들이고 있다.

노엠이 이변을 눈치챘다.

"라이엘 님? 저기, 안색이 점점 안 좋아지시는데요? 괘, 괜찮으신가요?"

나는 모니카를 봤다.

모니카는 눈을 감고 편안하게 잠든 모습으로— 입만 움직였다.

"보디의 수복을 완료. 데이터, 보디의 최적화를 실행했습니다. 지금부터 재기동합니다."

덤덤한 목소리로 말하자, 아리아 씨가 놀랐다.

"말했다?!"

무척 놀랐는지, 소피아 씨와 둘이서 기묘한 포즈로 굳어졌다.

"호, 혹시 되살아난 건가요?"

나는 모니카를 바라봤다.

이제, 몸에 힘이 들어가지 않는다.

"너, 너…… 혹시……."

모니카는 눈을 뜨더니, 내 얼굴을 보며 웃었다.

"재기동 완료했습니다. 지금부터 통상 모드로 이행합니다."

그렇게 말하고는 상반신을 일으켜서 내게 키스를 했다.

그리고 벌떡 일어나 공중에서 회전하더니, 바닥에 착지해서 우아한 손짓으로 스커트를 잡아, 무릎을 굽히며 고개를 숙였다.

두둥실 춤추는 모포.

"뾰용뾰용, 개명해서 모니카. 앞으로도 계~속해서 치킨 자식의 곁에서 시중을 들도록 하겠습니다."

아름다운 인사였다.

떨어진 모포를 잡아서, 재빨리 개는 움직임까지 보인다.

"너, 너…… 나를 속인…… 거야?"

입이 잘 움직이지 않았다.

시야가 흔들린다. 분명 내 몸도 휘청이고 있겠지.

노웸이 안아주며 부축했다.

"라이엘 님?! 서, 설마 라이엘 님의 마력을 흡수한 건가요!"

모니카는 귀엽게 몸을 비틀었다.

"저는 한 번도 작별이라고 말한 기억이 없는데요. 그나저나, 치킨 자식이 저를 위해 이름을 고민하고 있을 줄은 몰랐어요. 실은 잊어버린 게 아닐까? 하고 불안했었는데, 역시 치킨 자식은 최고의 주인님이네요!"

타버려서 흐트러졌던 트윈테일은 어느새 수복되어서 반짝이며 살랑살랑 흔들리고 있었다.

붉은 메이드복도 새것 같다.

손도 발도 있어서, 다친 모습은 어디에도 없다. 아니, 오토마톤은 애초에 부상이라는 게 있나? 고장이라고 해야 하나?

그런 아무래도 좋은 생각을 할 정도로, 사고가 정리되지 않았다.

"……거짓말이지?"

나는 마지막으로 중얼거리고는, 노웸에게 몸을 맡기고 의식을 잃었다.

"라이엘 니이이임!!"

"치킨 자시이이익!!"

노웸과 모니카의 목소리가 들려왔지만, 이제 움직일 수가 없다.

정말로 여러모로 지쳐버렸다.

제65화 뒤처리

—라이엘이 정신을 잃자, 노웸은 자리에서 일어났다.

라이엘을 안아서 포터에 태우기 위해서다.

모니카가 불평했다.

"치킨 자식의 시중은 제 일이라고요!"

"누구 때문에 의식을 잃으신 줄 알고는 있는 건가요?"

노웸이 차가운 시선을 보냈지만, 모니카는 한 발짝도 물러서지 않았다.

"그러니까 제가 모시는 거죠. 자, 아무 문제도 없잖아요."

두 사람이 말다툼을 하면서 포터로 돌아가는 걸 확인한 미란다는 샤논에게 다가갔다.

"샤논, 괜찮니?"

언니다운 일면을 보이는 미란다를 본 샤논이 고개를 끄덕였다.

"뿌용뿌용— 이 아니라. 모니카 녀석, 몸이 수복됐어. 저거, 기둥서방 자식의 마력을 빨아들여서 수복한 거야. 말도 안 된다고 생각하지 않아요? 언니."

샤논이 혼란에 빠진 이유는, 라이엘에게서 모니카에게 대량으로 흘러가는 마력의 흐름을 봤기 때문이었다.

모니카가 죽은 것을 이해하지 못하고 소란을 부리던 게 아니다.

미란다는 어깨를 으쓱하며 주의를 줬다.

"라이엘을 기둥서방이라 부르지 마. 그보다도, 나는 잠시 볼일이 있으니까 혼자 행동할게."

샤논이 미란다의 옷을 잡았다. 전투 중보다는 진정됐지만, 아직은 불안한 건지 무서워하고 있었다.

"혼자? 위험해요, 언니."

걱정하는 샤논에게 「괜찮아」라고 말한 미란다는 쓰러져있는 도적들을 바라봤다. 미란다의 점착성 있는 실로 구속되어 있다.

열 명 정도는, 전투 중에 도망쳐버렸다.

미란다는 도적들을 감시하던 소피아에게 다가갔다.

"잠시 낌새를 보고 올게. 그동안 이 녀석들의 감시를 부탁해."

소피아는 황급히 제지했다.

"혼자서 행동하는 건 그만두세요. 도망친 적이 있어서 아직 위험하고, 무엇보다 파티의 조화가 흐트러져요."

예전보다 확실히 의견 표명을 하는 소피아를 본 미란다가 살짝 웃었다.

"어머, 제대로 된 의견이네. 하지만 유감이었습니다. 입구를 막을 뿐이야. 라이엘도 움직일 수 없으니까, 세심하게 대비해놔야지."

그걸 들은 아리아가 접근했다.

"그럼 나도 갈게. 혼자서는 위험하니까."

미란다는 주변을 바라봤다.

"괜찮아. 그보다도 이 녀석들을 감시해줘. 검은 옷 남자들은 꼼꼼하게 구속해놨지만, 솔직히 말해서 꺼림칙하니까 두 사람은 남아줬으면 좋겠어."

검은 옷 남자들도 확실히 실력은 있었다.

라이엘이 너무 강해서 순식간에 정리해버렸을 뿐이다.

미란다가 꺼림칙하다고 한 것은, 그들에게는 감정이 결여된 것처럼 보였기 때문이다.

미란다는 그게 신경 쓰여서 참을 수가 없었다.

'이 녀석들은 대체 뭘까?'

다친 남자도 있었다. 모험가들은 신음하고 있는데, 검은 옷 남자들은 누구도 말을 하지 않았다.

하지만 죽은 것도 아니다.

"부탁할게."

그렇게 말하며 방을 나가 29층으로 향한 미란다는 통로로 접어들었다.

미란다의 아츠— 그것은 몸에서 실을 방출하는 것이다.

점착성이 있는 실부터 튼튼한 실까지 만들어낼 수 있다.

그걸 이용해서 함정 설치나 입구를 막을 수 있다.

원래 미궁 안에서 이런 행위는 모험가 매너 위반이다. 멋대로 통로를 막아버리면 다른 동업자에게 민폐이기 때문이다.

그러나, 지금 자신들이 있는 곳에는 아군과 적밖에 없다.

도망친 도적들이 다시 미란다 일행을 노릴 수도 있다.

가능성은 한없이 낮겠지만.

미란다는 아무도 없는 통로를 걸으면서 자기 주변에 실을 만들어냈다.

실은 스스로 의지를 가진 듯이 움직이더니, 얽히고, 설키면서 형태를 만들어냈다.

마치 거대한 고양잇과 육식동물 같은 골격을 형성하자, 미란다는 손가락을 튕겼다.

미궁 안 통로는 콘크리트로 만들어져 있는데도 불구하고, 어딘가에서 갑자기 흙이 나와서 골격에 달라붙어 살을 만들어갔다.

예전, 라이엘과 싸웠을 때는 거미를 만들었다.

하지만, 오늘은 흑표범을 모델로 삼았다.

실물보다 크게 만든 흑표범의 등에 올라탄 미란다는 그대로 통로를 달려서 29층에 도착했다.

미란다는 주변을 바라봤다.

"……라이엘에게는 감사해야겠어."

미란다는 라이엘이 일부러 적을 죽이지 않은 것을 간파했다.

자신들, 혹은 아직 정신적으로 어린 샤논을 배려한 것이리라.

"하지만, 나는 당한 건 갚아주는 여자야."

흑표범이 달리자, 등에 올라탄 미란다는 그들을 찾아 근처 방으로 들어갔다.

마물들의 모습이 보이지 않는 건, 자신들을 쫓아온 루돌 일행이 쓰러뜨렸기 때문인 것 같았다.

그리고, 세 번째 방에 들어간 미란다는 중얼거렸다.

"여기네."

방 안에는, 도망친 모험가가 몇 명 모여있었다.

흑표범에서 내려온 미란다는 머리를 쓸어 올렸다.

"가보렴."

흑표범은 한번 울고는, 방 안으로 들어가서 모험가들을 습격했다.

죽이지는 않지만, 6미터를 넘는 거대한 흑표범의 습격을 받은 모험가들은 의식을 잃었다.

방이 조용해지자, 미란다는 안으로 들어갔다.

그리고 짐을 살펴봤다.

"어머, 꽤 많이 가져왔네."

물이나 식량, 그리고 무구 등의 소모품이 산더미 같았다.

그런 물자 앞에서, 미란다는 씨익 웃었다.

물이 들어간 용기를 확인하고 내용물을 전부 버렸다.

여기서 미궁의 신기한 부분이 드러나는데, 이렇게 버린 것들은 그대로 흡수해버린다.

물이 마치 바닥에 스며들듯이 사라진 것을 본 미란다는 대신해서 『마법으로 만든 물』을 보충했다.

"나는 무르지 않아. 샤논을 노린 걸 후회하게 만들어 주겠어."

그렇게 말한 미란다는 흑표범을 타고 동료들에게 돌아갔다―.

―지하 30층.

아리아는 구속된 검은 옷 남자들 중 한 명에게 다가갔다.

근처에 떨어진 무기를 회수하기 위해서다. 경계하면서 무기를 손으로 쥐었다.

남자를 곁눈질하니, 공허한 눈이었다.

"정말로 뭐냐고. 미란다도 혼자 움직이고, 라이엘은 쓰러지고."

그때였다.

남자가 작은 목소리로 중얼거렸다.

"……세레스 님."

아리아는 남자에게 고개를 돌렸지만, 잘 들리지 않았다.

"뭐라 그랬어?"

남자를 노려봤지만, 반응은 전혀 없었다.

적어도 뭔가 반응을 보이면 좋을 텐데, 검은 옷 남자는 그 이후 아무 말도 하지 않았다.

"이 녀석들, 대체 뭐냐고."

아리아는 한숨을 내쉬면서 검은 옷 남자들에게서 떨어졌다—.

—클라라는 노웸과 뒷일을 상의했다.

현재는 라이엘이 없기 때문에 그녀들은 스스로 움직여야 했다.

"이대로 여기서 대기하는 건 위험해요. 바로 이동을 시작하죠."

노웸의 제안에 클라라도 찬성했다.

"그건 상관없지만, 저들은 어쩌죠?"

클라라가 질문하자, 노웸의 대답은 차가웠다.

라이엘을 걱정하며 당혹스러워하던 노웸의 모습은 이미 없었다.

"그들을 지상으로 데려갈 여유는 없어요. 학원 학생— 그보다도 귀족이니까 대응하기 귀찮아요."

데리고 돌아갔다가 적반하장으로 나서면 귀찮다.

노웸이 그렇게 말하자, 클라라는 바로 짐작했다.

'길드에 넘겨줘도 귀찮지 않겠죠.'

아람사스는 좋든 나쁘든 모험가 길드보다는 학원이 권력을 쥔 도시다.

학원에 다니는 이들은 귀족이나 거상 등등, 돈에 여유가 있는 집안의 자제가 많다.

클라라 일행을 습격한 상대도 귀족.

귀찮아질 게 뻔했다.

"저도 찬성이지만, 라이엘 씨가 어떻게 생각하실지 걱정되네요. 결국 라이엘 씨는 그들을 죽이지 않았어요. 방치하는 건 반대하시지 않을까요?"

그러나 노웸은 한없이 차가웠다.

라이엘에게 보이는 헌신적인 태도는, 습격자에게는 조금도 보이지 않았다.

"현실적으로 전원을 데리고 이동하는 건 불가능해요. 그리고 주모자인 학원 학생을 데리고 돌아가봤자…… 기껏해야 퇴학으로 끝나겠죠. 미란다 씨를 습격했으니 사크라이 가에서는 보복할지도 모르겠지만요."

확실히, 40명을 넘는 습격자를 데리고 이동하는 건 불가능하다.

그들을 지키며 지상으로 가려고 해도, 물도 식량도 한정되어 있다.

그들의 소지품을 압수해봤자, 자신들이 오히려 인원이 적다.

한눈팔 수 없는 상대를 보호하면서 지상으로 가는 건 사양하고 싶은 것이 클라라의 본심이기는 했다.

게다가, 데리고 돌아가 봤자 귀찮아질 가능성이 높다.

습격자들의 치졸한 행동을 고려하면, 적반하장으로 나설 게 눈에 선하다.

"그렇겠죠. 그럼 라이엘 씨가 정신을 잃은 사이에 이동하는 게 좋을지도 모르겠네요."

노웸이 수긍했다.

"이동 준비에 들어가죠. 게다가, 그들은 자업자득이에요."

평소의 노웸이 아니다. 클라라는 그것이 조금 무서워졌다.

'저희 일행을 노렸기 때문일까요?'

클라라도 이동을 위한 준비에 들어갔다—.

보옥 안 원탁의 방.

정신이 들자 나는 내 의자에 앉아있었다.

원탁에 둘러앉은 역대 당주들이 박수를 보냈다.

『이야~ 과제를 무사히 달성했네. 설마 이렇게 빨리 달성할 줄은 몰랐어.』

싱글벙글 웃는 3대가 이번 과제에 대해 물었다.

『이번 과제, 라이엘은 솔직히 어떻게 생각했어?』

나는 둘러앉은 이들 앞에서 생각했다.

"아츠에 너무 의존해온 저한테, 그걸 자각하게 해주기 위해서였나요?"

지금까지 아츠에 너무 의존해왔다.

이번 일은 그걸 통감하기에 충분했다.

제대로 기능하지 않는 파티에, 나 자신도 아츠 없이는 거의 아무것도 하지 못했다.

2대가 손가락으로 뺨을 긁적였다.

『틀린 건 아니지만, 그것만은 아니야. 우리가 보고 싶었던 건, 아츠를 금지했을 때 라이엘이 어떻게 움직이느냐, 그거였다.』

"제가요?"

역대 당주들이 고개를 끄덕였다.

4대가 이번 과제의 진정한 의미를 알려줬다.

『아츠에 의존한다는 건 나쁜 면도 있습니다. 하지만, 능숙하게 사용한다는 의미에서는 라이엘이 올바르기도 하죠.』

3대도 수긍했다.

『도구를 올바르게 사용하는 거야 당연한 일이니까. 뭐, 불편함을 아는 것도 중요하지만, 딱히 문제는 없다고도 할 수 있어.』

역대 당주들은 내가 아츠에 의존해서 싸우더라도 문제는 없다고 생각했던 모양이다.

그렇다면, 어째서 나를 시험한 걸까?

내가 어떻게 움직이느냐가 그렇게 중요한 일인가?

내가 이해하지 못했다고 생각했는지, 6대가 호쾌하게 웃었다.

『다시 말해서. 우리가 보고 싶었던 건, 아츠가 없는 상태에서 라이엘 네가 어떤 궁리를 하는가였다. 솔직히 말해서, 좀 더 재치 있는 방안을 생각했어도 상관없었어.』

5대가 무표정하게 말했다.

『과제는 아츠 사용을 금지한 상태로 지하 30계층을 공략하는 거였지. 은색의 대검도 사용 금지였지만, 그것 자체는 문제가 아니야. 명심해. 아츠 없이 지하 30층을 공략해라. 이게 우리가 낸 과제였어.』

나는 잠시 생각하다가…… 깨달았다.

"혹시, 그거 말인데……. 어떤 수단을 사용해도 상관없었다는 건가요?"

7대가 손가락을 튕겼다.

『물론이다. 우리가 너희끼리만 달성해라, 같은 소리를 했었느냐? 말하지 않았다. 즉, 뭘 하든 자유로웠다는 거다.』

나는 벌떡 일어섰다.

"자, 잠깐만요! 이상하잖아요?!"

4대가 고개를 갸웃했다.

『뭐가 이상하다는 거죠?』

나는 한번 심호흡을 하고는, 역대 당주들에게 내 생각을 밝혔다.

"제가 아츠에 너무 의존하는 게 위태로우니까 과제를 내준 거잖아요? 그렇죠!"

2대가 끄덕였다.

『뭐, 그것도 이유 중 하나였지.』

나는 양손을 원탁에 내려쳤다.

"그럼, 어째서 뭘 해도 상관없었다고 하는 건가요! 좀 더, 우리 개인의 능력이라든가, 연계라든가, 그런 걸 단련하라고 말하는 건 줄 알았다고요!"

나는, 우리 자신의 저력이 부족한 것을 문제시해서 그런 과제를 낸 건 줄 알았다.

2대가 팔짱을 끼며 끄덕였다.

『나는 이렇게 생각한다. 실제로 아람사스에 오고 나서, 그렇게 저력을 끌어올리고 동료를 늘려도 상관없었을 거야. 몇 달이 아니라 1년이든 2년이든. 아니면 10년이라도 배워서 힘을 늘려도 괜찮다고 봤다.』

그러나 3대는 2대의 의견을 듣고 웃었다.

『그런가? 시간 낭비라고 생각하는데. 실제로 라이엘은 과제만 달성하면 아츠를 사용할 수 있으니까. 나라면 공략 가능한 파티를 따라갈 거야. 딱히 계층 보스를 직접 쓰러뜨리라는 말은 하지 않았으니까.』

쓰러뜨릴 수 있는 녀석에게 쓰러뜨려달라고 하고, 우리는 견학하면 그걸로 과제 달성이라고 말하는 3대에게 현기증이 났다.

"아무런 해결도 되지 않잖아요!"

『하지만, 이건 과제를 최단 시간에 달성할 수 있는 방법 아닐까? 라이엘, 조금 머리가 딱딱해.』

3대의 의견에 4대가 어이없어했다.

『공략할 수 있는 파티가 얼마나 되는 줄 알고는 있는 겁니까? 게다가 그렇게 운 좋게 지하 30층에 도달할 수 있기는 한 겁니까? 운 요소가 강한 일은 해서는 안 됩니다.』

"그렇죠! 그렇고말고요!"

냉정한 4대가 안경 위치를 고쳤다.

『저라면 공략 가능한 파티에게 의뢰를 내서 따라갈 겁니다.』

"댁도 똑같잖아!"

3대와 의견이 다른 부분은 스스로 의뢰를 내서 과제를 달성하는 것밖에 없고, 거의 똑같은 해결 방법이었다.

운 요소는 얽히지 않지만, 금전적인 지출이 생긴다.

『다소 재산을 투자해도 문제없었습니다. 라이엘은 그만한 재산을 갖고 있었으니까요. 뭐, 어디까지나 제가 똑같은 말을 들었다면 이렇게 했을 거라는 소리입니다.』

거의 똑같은 의견에 어이없어하면서, 가만히 있는 5대에게 시선을 보냈다.

이 사람도 이상한 해결책을 생각했을까?

의심 어린 시선을 보내자, 5대는 울컥했다.

『그 눈은 뭐야? 나라면 이후에도 활용할 수 있는 방법을 생각했을 거라고.』

"……참고로 그 방법은?"

5대는 턱에 손을 댔다.

『그래. 먼저 처음부터 강한 녀석, 유능한 녀석을 파티에 넣는 거지. 다른 파티에서 빼내도 좋아.』

5대는 처음부터 우수한 인간을 모으면 된다고 간단히 말했다.

"아니, 그게 가능했다면 고생하지 않았다고요!"

『바보냐. 네 실패가 이어지기 전에는 평판도 나쁘지 않았잖아. 데미언의 의뢰로 명성이 올라갔을 때, 바로 우수한 녀석을 좋은 조건으로 발탁했으면 됐을 거야. 아니면, 임시로 고용한다든가 이것저것 있잖아.』

이제 싫다고 생각하고 있는데, 6대는 내 생각에 긍정적이었다.

『라이엘 네 마음도 이해한다. 자기 파티로 공략하고 싶었겠지. 이해해. 이해하고말고.』

"그렇죠! 6대라면 알아줄 거라고—."

『뭐, 나라면 다수의 파티끼리 협력해서 지하 30층을 공략했겠지만. 애초에 고용을 하든, 파티에 동료로 맞이하든, 관계를 계속 유지하는 건 귀찮은 일이다. 인간은 상성도 있다. 일단 함께 일을 해보고, 괜찮다면 동료로 들이면 되는 거다.』

6대는 단순한 숫자가 필요하다면, 다른 파티와 협력을 요청했어야 한다고 말하고 있었다.

뭐랄까, 여기까지 오니 확실히 내가 잘못하고 있었던 것 같기도 하다.

좀 더 다른 파티와 친하게 지냈으면 좋았을 거다.

그러면 협력을 얻을 수 있었을지도 모른다.

우리 힘만으로, 같은 생각을 했었기에 시간이 걸리고 말았다.

7대가 과제의 진정한 의미를 내게 말해주었다.

『라이엘. 결과적으로는 과제를 어떻게 달성하든 상관없었던 거다. 너희의 저력을 끌어올리기 위해 몇 년을 노력했더라도, 그건 분명 이후에 도움이 되었겠지. 지혜를 살려서 과제를 달성해도 상관없었다. 그런 재치는 이후에도 도움이 될 테니까. 재력에 의존해도 문제없었다. 너는 앞으로도 분명 큰돈을 벌 테니까. 우수한 동료를 초빙하든, 그리고 일시적으로 고용하든 문제는 없었던 거다. 네가 포터를 만든 것은 의외였지만.』

3대가 크게 기뻐했다.

『그건 놀라웠어. 설마 그런 방법으로 과제를 달성할 줄은 생각도 못 했거든. 어느 의미에서는 예상을 뛰어넘었을지도.』

역대 당주들도, 미궁 공략의 큰 도움이 되었던 포터를 만든 것은 상상하지 못했던 모양이다.

나는 힘차게 의자에 앉았다.

"……말해줬으면 좋았을 텐데요."

3대가 히죽히죽 웃었다.

『우리는 몇 번이고 과제가 뭔지 말해줬어. 라이엘 네가 깨닫지 못했던 게 문제야.』

2대는 반대로 칭찬했다.

『나는 오히려 좋았다고 생각한다. 자신들에게 부족한 게 무엇인지 인정하고, 그걸 개선하려 했으니까. 그 바보 두 사람도 미란다 덕분에 기합이 들어간 것 같고.』

2대는 미란다 씨가 부추긴 것이 반대로 두 사람의 성장으로 이어졌다고 생각하는 모양이다.

5대는 나를 보며 살짝 웃었다.

『결국, 절대적인 정답 같은 건 없었어. 그럼에도 해답을 계속 내놓아야 하는 것이 인생이야. 네가 어떻게 과제를 달성하느냐가 중요했던 셈이지.』

"이것저것 고민했던 게 바보 같아지잖아요."

6대가 웃었다.

『많이 고민해라. 단, 고민하고 결단해라. 해답을 내지 못하는 게 제일 안 좋으니까.』

나는 주변을 돌아봤다.

"그러고 보니, 밖은 어떻게 됐나요?"

4대가 어깨를 으쓱했다.

『라이엘이 정신을 잃었으니까 모릅니다. 뭐, 바로 알 수 있게 되겠죠.』

마력이 너무 빨려 나가서 그런가, 보옥이 기능을 정지해버린 모양이다.

그런 일도 있는 건가 싶었지만, 역대 당주들의 말로는 회복되고 있다고 하니 걱정할 건 없어 보인다.

7대가 살짝 한숨을 내쉬었다.

『그나저나 뿌용뿌용, 아니 모니카에게는 놀랐습니다. 그 상태에서도 치료하다니. 아니, 수리라고 하는 게 좋을까요?』

그걸 계기로, 이후에는 잡담이 시작됐다.

나도 눈을 뜰 때까지 보옥 안에서 역대 당주들과 대화를 나눴다.

　—밤.

　라이엘 일행은 지하 5층에 도착했다.

　노웸은 홀로 야영하는 방에서 빠져나와 마물도 사람도 없는 방으로 들어갔다.

　주변에 사람의 기척이 없다는 걸 확인하고는, 어둠 속에서 콘크리트 벽에 손을 댔다.

　무표정.

　그리고 중얼거렸다.

　"······라이엘 님의 목숨을 노린 자들은 용서할 수 없어요. 설령 미란다 씨가 손을 썼다 하더라도, 완전하지는 않으니까요."

　노웸이 손댄 곳에서, 마치 혈관 같은 붉은 선이 콘크리트 벽에 떠올랐다.

　맥동하는 벽은, 점차 미궁 전체에 영향을 끼쳤다.

　노웸이 눈을 감았다.

　"······아, 있네요. 지하 29층에서 떨고 있는 건가요."

　마치, 지하 29층에서 습격자들이 어떻게 지내고 있는지를 눈앞에서 보고 있는 듯한 말투였다.

　이윽고 노웸이 손을 떼었다.

　그리고 눈을 뜨고는, 아무 일도 없었다는 듯이 야영하는 방으로 돌아갔다—.

—지하 29층.

습격자들이 모였다.

루돌은 찌그러진 얼굴을 붕대로 감고 있었다.

아프다 아프다 신음하면서, 주변에 불만을 터뜨렸다.

"너희들, 빨리 준비해!"

라이엘 일행이 이동을 시작하기 전, 미란다는 구속을 풀어줬다.

그것이 루돌의 자존심을 상처 입혔다.

"바보 취급하기는. 그놈들, 밖에 나가면 이번에는 철저하게 괴롭혀서—."

루돌은 갈증을 느끼고 짐에서 물을 꺼내서 아픔을 참으며 마셨다. 상처 탓에 입 안이 욱신거렸다.

"빌어먹을. 이럴 바에는 회복마법이라도 익혀놨다면…… 야, 너희는 뭐 하고 있어?"

주변을 잘 보니, 모험가와 친구들이 배를 잡고 웅크리고 있었다.

"배, 배가……."

"물이 상한 건가? 이봐, 누가 약을."

"어째서 이런 꼴을……."

전원이 배탈을 일으켰다.

루돌의 배도 상태가 이상해져서 얼굴이 새파래졌는데, 갑자기 방이 흔들렸다.

"뭐, 뭐야. 이번에는 대체 뭐가—."

패배하고, 배도 아파서 정신적으로 궁지에 몰린 루돌 일행이 본 것은, 벽에서 마물들이 생성되는 광경이었다.

루돌 일행이 눈을 크게 떴다.

"거, 거짓말이지."

숫자도 한두 마리가 아니었다.

지하 29층에서 나오는 마물 가운데서도 성가신 놈들이 차례차례 나와서 루돌 일행을 보며 군침을 흘렸다.

이제 막 나온 그들은 배가 고픈 모양이었다.

루돌이 왼손을 들었다.

마법을 날렸지만, 쓰러뜨린 마물의 숫자는 기껏해야 두 마리나 세 마리다.

방에는 차례차례 마물이 나타났다.

"싫어. 싫어어어어!!"

루돌은 계속해서 마법을 날렸지만, 주변에서는 빠르게도 비명이 들려왔다.

습격자들은 저항하지 못하고 죽어갔다.

포위당한 루돌은 마법도 손에서 나오지 않게 되어 저항하지 못했다.

루돌은 눈물을 흘리며, 가느다란 목소리로 말했다.

"……사, 살려주세요."

예전에 자기들이 모험가를 습격했을 때는 아무리 들어도 귀를 기울이지 않았던 그 말을, 이번에는 루돌이 외쳤다.

"살려줘요! 뭐든지 할 테니까! 뭐든지 할 테니까 살려주세요! 이제 안 할 테니까! 이런 일은 두 번 다시 안 할 테니까!"

　말이 통하지 않는 마물 상대로 계속 외쳤다.

　마물들은 절규하는 루돌을 향해 입을 크게 벌리며 깨물었다.

　루돌과 습격자들의 절규가 미궁 안, 지하 29층에 울려 퍼졌지만, 그들 이외의 모험가는 존재하지 않았다.

　즉, 구원은 오지 않는다—.

제66화 나는 다정해

　—라이엘 일행이 미궁에서 돌아온 다음 날.

　미란다 및 일행들은 모험가 길드의 호출을 받았다.

　이유는, 똑같은 시기에 미궁에 들어갔던 대량의 모험가가 목숨을 잃었기에.

　그에 관련되었을 가능성이 있다며 일행들을 부른 것이다.

　사실 관련은 있지만, 일행들은 딱히 보고하지 않았다.

　그들에게 습격을 받았다고 말하면 문제가 생기리라는 걸 알았기 때문이다.

　출두한 것은 미란다 외에는 아리아와 소피아까지 세 명.

　이번에는 학원 학생이 사망했기 때문에 모험가 길드에서도 진지하게 조사하고 있었다.

　사망한 학생이 귀족이었던 것도 문제가 커진 이유 중 하나다.

　모험가 길드 직원은 머리가 쓸쓸한, 검은 테 안경을 쓴 마른 남자였다.

　직원은 학원의 위세를 빌려서 태도가 거만했다.

　세 사람 앞에서 끈질기게 질문을 이어갔다.

　“어째서 리더인 인물이 안 온 겁니까?”

　미란다는 어깨를 으쓱했다.

　“리더는 이제 막 눈을 떴거든. 아무리 그래도 여기에 올 만큼 체력이 회복되지 않았어."

라이엘이 눈을 뜬 것은 오늘 아침이다.

나른한 것은 사실이지만, 이 자리에 발을 옮기지 못할 정도는 아니다.

단지, 미란다는 라이엘을 이 자리에 데려오지 않더라도 자신이 참가하면 문제없으리라 여겼다.

직원은 짜증을 냈다. 보통은 귀족이자 데미언의 지인인 미란다에게 고개를 꾸벅꾸벅 숙이지만, 이번에는 학원의 명령이기 때문인지 드센 모습이었다.

"뭐, 좋습니다. 그럼, 미궁에 들어가고 나서의 일을 자세하게 설명해 주시죠. 먼저, 리스트에 있는 인물과 미궁에서 만났습니까?"

아리아와 소피아는 거북한 듯이 앉아있었다.

미란다는 리스트를 훑어봤다.

"없네. 지하 30층을 공략하고 돌아왔을 뿐이야."

그리고는 웃으며 거짓말을 했다. 직원이 주먹을 책상 위에 내리쳤다.

홀쭉하고 작은 주먹은 작은 소리만 났을 뿐이었다.

"확실히 확인하시죠! 하나라도 거짓이 있다면, 이건 중대한 문제가 됩니다!"

미란다는 고개를 갸웃했다.

"중대한 문제? 모험가가 미궁 안에서 죽는 건 평범한 일 아닌가? 그걸 매번 이렇게 조사하는 거야?"

직원은 울컥하면서 미란다에게 사정을 설명했다. 미란다가 자작가 딸이라는 걸 알고 있기 때문이다.

"귀족 자제가 죽었습니다. 학원 측에서도 이유를 명백하게 밝히라고 말하고 있지요. 같은 귀족인 당신이라면 그 정도는 이해할 수 있을 텐데요?"

자신은 올바른 일을 하고 있다.

직원은 그렇게 생각하는지, 미란다를 상대로도 드센 태도를 무너뜨리지 않았다.

미란다는 살짝 한숨을 내쉬었다.

"……그래서?"

직원이 말을 이었다.

"이번에 미궁에서 일어난 일을 전부 말씀해주시죠. 어느 계층에서 어느 마물과 싸우고, 그리고 어떤 행동을 했는지를!"

미란다는 어깨를 으쓱하며 말했다.

"기억나지 않는데. 그도 그럴 게, 보통 이런 건 보고하지 않으니까. 앞으로는 될 수 있으면 기억하도록 할게. 그러면 될까?"

직원이 이마에 푸른 핏대를 세우자, 미란다는 말을 이었다.

"학원의 의뢰라서 힘을 들이고 있는 건 알겠지만…… 아무리 물어봤자 대답은 똑같아."

그대로 직원이 지쳐서 풀어줄 때까지 청취는 이어졌다─.

─청취가 끝난 뒤.

미란다는 모험가 길드 밖에서 기지개를 켰다.

모험가가 50명 이상 사망했기 때문에 아침부터 큰 소동이다.

미란다는 풀려날 때까지 몇 시간 동안 능구렁이처럼 거짓말을 늘어놓으며 청취를 벗어났다.

그런 모습을 바라보던 아리아와 소피아는 미란다를 의아하게 바라봤다.

"미란다. 너 용케 그렇게나 거짓말을 할 수 있구나."

소피아는 불만스러워 보였다.

"적어도 진실을 말해서, 그들의 행동을 공표했어야 했어요. 어째서 저희가 거짓말을 해야 하는 거죠?"

소피아는 미궁에서 나올 때, 습격자들을 지상으로 데려가야 한다고 주장했다.

성실하고 다정한 것은 미란다도 좋게 평가하지만, 그런 짓을 해봤자 의미가 없다는 걸 알고 있었기에 차갑게 뿌리쳤다.

"그럼 우리가 버리고 왔다고 말할 셈이야? 데리고 돌아와봤자 그 녀석들은 반성도 하지 않거니와 적반하장으로 나설 뿐이야. 사실을 말해봤자 귀찮은 일만 늘어날 뿐. 인과응보. 자기들의 행동으로 스스로 망했다고 생각하면 되잖아?"

소피아가 어깨를 떨궜다.

현실적으로 전원을 지상으로 데리고 돌아오는 건 불가능했다.

아무리 포터가 우수해도, 40명 이상을 태우면 이동할 수 없다.

가능했다 해도, 노웸은 그걸 절대 허용하지 않았으리라.

아리아가 이마를 손으로 눌렀다.

"미란다, 말이 지나쳐. 소피아는 어제부터 계속 고민했단 말이야. 너처럼 자기만 생각하는 건 아니라고."

아리아의 가시 돋친 말에 미란다가 미소를 지었다.

"어머, 그냥 넘길 수 없는 말이네. 그래서는 마치, 내가 자기 일밖에 생각하지 않는 냉혈녀 같잖아."

소피아가 고개를 내저었다.

"미란다 씨나 노엠 씨가 올바르다고는 생각해요. 하지만, 납득할 수 없어요. 게다가, 이런 말을 하는 건 실례지만…… 저기, 그게……."

아리아는 소피아가 곤란해하는 말을 대변했다.

"간단히 말해서 냉혈녀야. 조금은 자각하라고. 너 때문에 파티는 너덜너덜. 왠지 분위기도 안 좋아졌고."

그런 아리아와 불만스러워하는 소피아 앞에서, 미란다는 말했다.

"두 사람 다 실례네. 말해두는데, 나는 다정해."

두 사람이 「어디가!」라는 표정으로 미란다를 봤다.

그러자 미란다는 고개를 끄덕였다.

"납득하지 못한다면 따라와. 하렘 파티라는 게 뭔지 보여줄 테니까."

그렇게 세 사람은 어딘가로 향했다―.

―모험가 길드에 한 청년이 나타났다.

미란다 일행과 엇갈려서 실내로 들어온 것은 나르쿠스였다.

오늘도 웃으며 접수대로 가더니, 성실해 보이는 접수원과 이야기를 나눴다.

"어떻게 미궁에 좀 들어갈 수 없을까?"

접수원은 얼굴을 살짝 붉히면서 평소보다 정중한 대응을 유의하고 있었다.

"지금은 여러모로 바쁜 상황이라 어려울 것 같아요. 단지, 많은 모험가가 세상을 떠난지라, 원인 규명 후에는 새로 미궁에 들어갈 파티를 모집할 거예요."

보통은 「무리에요」라는 한 마디로 끝나버리지만, 상쾌한 미청년인 나르쿠스를 앞두고 그런 태도를 보일 여성은 적었다.

"정말이야? 그럼 어떻게 해야 그 안에 들어갈 수 있지?"

"나르쿠스 씨의 파티라면 규모가 너무 적어요. 서포트를 전속으로 네 명 들이신다면—."

그런 모습을 보고 있는 건, 이제 막 모험가가 된 청년이었다. 장비도 나르쿠스보다 열악하고, 용모도 뒤떨어졌다. 그는 분통한 듯이 친밀한 두 사람을 지켜봤다.

"나 때는 근무 중이니까 쓸데없는 말은 하지 말라고 했으면서."

울 것 같은 청년이 소속된 파티는 남자뿐.

아람사스에서 유명한 하렘 파티는 라이엘 일행과 최근 찾아온 나르쿠스 일행이다. 청년도 당연히 나르쿠스가 그 밖에도 여성을 끼고 있다는 걸 알고 있었다.

선배 모험가가 그런 청년을 보고 어이없어했다.

"너, 혹시 하렘 파티를 동경하는 거냐?"

"당연하죠! 매일매일 남자 냄새나는 나날들! 저는 정감을 원한다고요!"

선배는 시선을 여성 3인조에게 돌렸다.

그곳에는 노출이 많지만, 탄탄한 근육을 가진 전사계 여자들의 모습이 있었다.

"저기 세 명 있으니까 말을 걸어보는 게 어때?"

청년이 격하게 항의했다.

"저런 아마조네스 같은 녀석들이 아니라, 저는 좀 더 가녀리고 지켜주고 싶은 마법사 같은 여자아이가 좋다고요!"

청년의 취향에 조금도 흥미가 없는 선배는 「흐~응」 하고 대답했다.

단지…….

"그럼 포기하는 게 좋아."

"싫어요! 저는 인기를 끌고 싶어서 모험가가 됐다고요. 꿈을 포기할 정도라면, 시골에서 밭이나 경작하는 게 나아요!"

선배는 불쌍한 녀석을 본다는 시선으로 청년을 바라봤다.

"너…… 주변을 잘 보라고."

그 말을 들은 청년이 주변을 둘러봤다.

"여성 모험가도 많지?"

"많긴 하지만, 왠지 다들 거칠어 보인달까, 다부져 보여서 꺼려지네요."

근육질의 전사.

다른 여성들도 다부져서, 남성들에게 뒤지지 않았다.

"모험가가 여성이라면, 언젠가 저렇게 된다고."

"거짓말이야! 그치만, 전 라이엘이라는 녀석의 파티를 봤다고요. 거기에는 제 이상이 있었단 말이에요!"

라이엘의 파티를 보고 부러워하는 청년에게 선배가 현실을 들이밀었다.

"라이엘이라는 녀석은 모험가로 따지면 일류라고. 여자도 끼고 있기는 하지만, 애초에 하렘은 그만두는 게 좋아."

"어째서요!"

선배는 조금 아련한 시선을 보냈다.

"여자 한 명만 있어도 큰일인데, 다수라니…… 무리라고."

뭔가 깨달은 표정을 짓는 선배를 본 청년도 하렘 파티에는 뭔가 문제가 있을지도 모른다며 조금 생각을 고쳤다―.

―그곳은 어슴푸레하고 어두운 골목.

소피아는 미란다의 안내를 받아 온 곳에서 터무니없는 광경을 목격했다.

눈앞에 있는 것은, 라이엘이 친하게 지내던 나르쿠스의 파티 멤버들.

남들 눈에 띄지 않는 좁은 골목에서, 찌릿찌릿한 분위기의 네 사람이 모여있었다.

서로 노려보고 있다. 아리아는 소피아와 몸을 맞대며 그 광경에 몸을 떨었다.

"이년아. 신인 주제에 나르쿠스한테 너무 들러붙지 말라고."

전사풍 여성이 안경을 쓴 학생복 차림의 여성의 멱살을 잡 았다.

그러나, 안경을 쓴 여성도 가만있지 않았다.

"만지지 마! 땀내 나잖아."

"뭐라고, 이년이!"

아무래도 신인인 안경 여자를 세 사람이 둘러싸고 있는 구 도인 것 같다.

'어? 어?! 이건 대체……'

소피아가 혼란에 빠지자, 이야기가 더욱 성가셔졌다.

도적풍 여성이 머리 뒤에서 깍지를 꼈다.

"그보다, 너도 민폐라고. 나르쿠스가 없을 때 멋대로 서브 리더처럼 지시 내리지 말아 줄래? 덤으로 지시가 틀린 적도 많거든."

마법사풍 여성이 말을 이었다.

"자기가 나르쿠스를 뒷받침해주는 듯한 태도. 보고 있으면 짜증이 나요."

이번에는 전사풍 여성이 질책을 듣게 되었다.

그러다가 잠시 지나자 이번에는 도적풍 여성이 모두의 질책 을 들었다.

정신이 들자, 어느새 주먹다짐을 시작했다.

미란다가 두 사람에게 해설했다.

"옷으로 가려지는 부분을 때리고 있지? 저기, 남자가 보더 라도 들키지 않는 곳이잖아."

다치기라도 하면 아무리 나르쿠스도 눈치를 챈다.

그러지 않기 위해, 네 사람은 눈에 띄지 않는 부분을 때리는 것이다.

최종적으로 전원이 한 번씩 질책을 듣고는 얻어맞았고……
전부 끝나자 네 사람은 제각각 해산해버렸다.

아리아가 몸을 떨었다.

"거짓말. 그치만, 전에 봤을 때는 웃고 있었단 말이야. 넷이서 같이!"

소피아도 똑같은 광경을 봤다.

그래서, 자신들은 어째서 저러지 못하는지 신경 쓰고 있었다.

"우, 우리보다 심각해."

미란다가 웃었다.

"휴일에는, 나르쿠스 씨와 행동하는 것 말고는 기본적으로 다들 혼자더라. 아람사스에서 알게 된 모험가 동료한테는 다른 세 사람의 험담만 늘어놓는 것 같아."

서로 욕설을 퍼붓고, 두들겨 패는 여성들.

그것이 나르쿠스가 모르는 그녀들의 일면이었다. 미란다는 말을 이었다.

"그야 보이지 않는 곳에서도 이것저것 하고 있겠지만, 나는 그런 건 좋아하지 않으니까—."

"미란다 씨!"

소피아가 미란다를 끌어안았다.

"저, 착각하고 있었어요. 전부터 살짝 생각하고 있긴 했었거

든요. 실은 미란다 씨가 저희한테 심한 소리를 하는 건, 저희를 위해서가 아닌가 하고."

아리아가 놀랐다.

"어, 그랬어?"

미란다도 곤란한 표정을 짓는 가운데, 소피아는 말을 이었다.

"오늘 네 사람을 보고 확신했어요. 그럴 마음만 있었으면 저희를 쫓아내고, 라이엘 공과 함께 살 수 있을 텐데도 그러지 않았죠. 당신은 처음 만났을 때의 다정한 미란다 씨 그대로였던 거네요! 저는…… 죄송해요!"

울면서 사과하는 소피아 앞에서, 미란다는 그저 쓴웃음만 지을 뿐이었다.

아리아마저도 그대로 울고 말았다.

"미란다, 너는 어째서 그렇게 다정한 거야!"

미란다는 울음을 터뜨린 두 사람을 그저 달래줄 수밖에 없었다―.

―다음 날.

미란다는 자기 방에서 한숨을 내쉬었다.

"하아. 어째서 이렇게 된 걸까?"

아침부터 아리아와 소피아가 따라다녔고, 그걸 본 라이엘이 무척 기뻐하고 있었다.

그것 자체는 문제가 아니지만, 미란다의 계획으로는 아리아와 소피아― 그 두 사람과는 적절한 거리를 유지하려고 했었다.

그런데 어제 질척질척한 여자끼리의 싸움을 보여준 바람에, 미란다의 평가가 과하게 올라가고 말았다.

"……뭐, 샤논과 비슷하게 바보 같은 구석은 마음에 드니까 상관없지만."

두 사람이 자신을 따른다면야 그래도 상관없다.

노웸의 의견을 묵묵히 따르는 인형이 아니게 되었으니, 앞으로도 적절하게 우정을 기를 생각이었다.

애초에 미란다가 두 사람을 부추긴 원인은— 노웸에게 있다.

두 사람은 때때로 지시를 내리면서 유도하는 노웸의 의견을 라이엘보다도 맹신하고 있었다. 너무 지나쳤기 때문에, 미란다는 스스로 생각할 수 있도록 유도했다.

한동안 묵묵히 의자에 앉아서 창밖을 지켜보던 미란다는 책상에 앉아 조합을 하기로 했다. 사용하는 폭탄 등등을 제작할 필요가 있기 때문이다.

"그럼, 이번에는 조금 더 위력을 억누른 것을 준비해볼까."

작업에 들어가려 하자, 복도에서 후다다닥 달려오는 소리가 들렸다.

이 발소리는 샤논이다.

그것도 기분 좋을 때의 발소리였다.

"언니!"

"샤논. 노크를 하고 대답을 기다리고 나서 들어와야지."

주의를 주자, 샤논은 시무룩해졌지만 바로 미소를 지었다.

아무래도 이유는 아리아와 소피아인 것 같았다.

"들었어요. 언니. 역시 언니는 다정한 언니였던 거네요! 저, 우리 언니가 조금 무서운 사람인 줄 알았거든요!"

웃으면서 그런 말을 하는 동생을 보며, 미란다는 골치가 아파졌다.

샤논은 철부지다.

무척 속기 쉬운지라, 미란다는 항상 걱정이었다.

그렇기에 착각을 정정해줘야 했다.

"샤논…… 나는 확실히 다정해."

"네!"

"그래도 말이지, 그건 라이엘이 그걸 바라기 때문이야."

"그렇죠! ……어?"

샤논은 기운차게 대답한 뒤에, 미란다가 한 말에 의문을 가졌다. 곤란한 표정으로 자신을 바라보는 샤논에게 미란다는 이렇게 말했다.

"있잖아. 나는 라이엘을 좋아해. 그런 라이엘 주변에 다른 여자가 있는 건 용납할 수 없어. 여기까지는 이해하지?"

"……어, 어찌어찌 이해는 가요."

샤논이 실제로 이해하고 있는지는 미묘하지만, 미란다는 착각을 정정해줘야 했다.

"귀족에게 내연녀 같은 건 드물지 않아. 딱히 다른 여자가 있어도 상관은 없어. 참을 수 있어. 나는 그 정도로 라이엘을 좋아하거든. 하지만…… 딱히 늘리고 싶은 건 아니야. 노엠처럼 여자를 권유하는 건 절대로 싫어."

샤논은 묵묵히 몇 번이고 끄덕였다.

"가정을 해보자. 파티에 늦게 들어온 내가 다른 동료들을 쫓아내려고 한다고 쳐. 라이엘은 그걸 어떻게 생각할까?"

샤논은 잠시 고민한 뒤.

"모르겠어요!"

미란다는 미소 지었다.

"솔직한 건 좋네. 분명 라이엘은 좋게 보지 않을 거야. 그리고 나를 방해된다고 생각하겠지."

"그 기둥서방 자식이 언니를 방해꾼 취급하다니 용서할 수 없네요!"

"그래. 용서할 수 없지. 그러면, 어떻게 행동해야 가장 좋을 것 같아?"

"모르겠어요!"

솔직하게 모른다고 선언하는 샤논을 보더라도 미란다는 어이없어하지 않았다. 오히려, 바보 같은 점이 귀여워 보였다.

"간단해. 이 이상 여자를 늘리지 않는다. 그리고, 지금 있는 멤버들 가운데서 제일이 되는 게 베스트야."

그런 언니의 대답에 당혹스러워한 샤논이 조심조심 물었다.

"저, 저기, 언니? 그럼, 그 기둥서방 자식한테 가끔 겁을 주는 건 안 되지 않나요?"

미란다는 때때로 라이엘에게 여자끼리의 싸움을 보여줬다.

지금 설명을 토대로 삼는다면, 그건 호감을 사는 데는 불필요한 행동으로 보였으리라.

"필요한 일이야. 겉으로만 친해 보인다면, 라이엘은 잘 돌아
간다고 생각해서 여자를 또 늘릴 거야. 라이엘…… 멋지잖아.
노리는 여자가 분명 잔뜩 나올 거야. 노엠은 우수한 여자라면
동료로 들여도 좋다고 말할 테니까 조심해야지."

샤논은 아연실색했다.

그리고 자기 언니를 믿을 수 없다는 표정으로 바라봤다.

다른 것보다도, 샤논은 언니가 진심으로 라이엘을 멋지다고
생각한다는 것을 믿을 수가 없었다.

"호, 혹시나 말이죠."

"응?"

"기둥서방 자식이 딱히 여자끼리의 싸움이나, 아리아나 소
피아에게 흥미가 없었다면—."

미란다는 진지한 표정으로 대답했다.

"당장 파티에서 쫓아냈겠지. 당연하잖아. 그 정도라면 당장
에라도 가능하니까 아무 문제도 없어."

샤논은 이미 울상이었다.

"어, 언니는, 혹시 제가 방해되면……."

"설마. 샤논은 귀여운 여동생인걸. 안심해."

샤논은 조금도 안심할 수 없다는 표정을 지었다.

"궁극의 이상은 라이엘을 독점하는 거겠지. 다른 여자가 없
는 게 좋지만, 라이엘 정도라면 내연녀 한두 명 정도는 필요
하다고 생각하거든. 봐봐, 옛 귀족인 데다 돈벌이도 좋잖아?
그러니까 역시 지금 멤버로 고정하고 싶어. 아, 가능하면 클

라라는 확보해두고 싶네. 포터의 운전사는 필요하니까."

이상을 말하는 미란다 앞에서, 샤논은 그저 묵묵히 이야기를 듣고 있었다—.

과제를 마친 며칠 뒤.

나는 클라라 씨를 찾아와서, 여느 때처럼 도서관 휴게실에서 이야기를 나눴다.

이번에는 일 이야기가 아니다.

"실은 아람사스를 나가려고 해요. 지금 당장인 건 아니지만, 준비가 갖춰지면 일단 왕도 센트럴에 들를 거예요."

체류 기간은 그리 길지 않았다. 하지만 앞으로 나가기에는 딱 좋았다.

클라라 씨가 조금 쓸쓸한 듯이 미소 지었다.

"그런가요. 쓸쓸해지겠네요. 그래도 라이엘 씨와 함께 행동한 덕분에 저도 꽤 많이 벌었어요. 포터 건도 있었고, 좋은 경험이 되었죠."

나는 그런 클라라 씨에게 부탁을 했다.

"그래서 한 가지 부탁이 있어요. 포터의 완성에 협력해주신 사례로, 똑같은 걸 원한다고 하셨죠? 하지만 아무리 그래도 포터를 준비하는 건 시간이 좀 걸릴 것 같거든요."

클라라 씨는 고개를 갸웃했다.

"아뇨. 시제품 쪽을 받기만 해도 충분한데요."

"아뇨아뇨, 약속은 약속이니까요. 실은 모니카가 데미언 쪽을 통해 부품을 확보하고 있는데, 마광석이 도저히 손에 들어오지 않아서요. 그러니, 약속을 이루어드리기 위해 다른 토지에서 마광석을 찾아보려고 해요."

클라라 씨는 조금 놀랐다.

"그, 그런가요. 저는 거기까지 해주시는 걸 바란 건 아닌데요."

보옥 안의 3대가 시끄러웠다.

『평소처럼 꼬드기라고! 의식하면 못 하는 거야? 자, 클라라를 어서 정식 동료로 삼으라고!』

책을 좋아하는 3대는 클라라를 무척 좋아했다. 그렇기에 언제나 내 동료로 들이라고 주장하고 있었다.

"클라라 씨. 약속을 들어드릴 때까지 저희와 함께 오시지 않을래요?"

내 제안에 클라라 씨는 고개를 살짝 내저었다.

"매력적이지만 거절할게요. 저는 서포트고, 게다가 아람사스에는 도서관이 있으니까요."

클라라 씨에게 아람사스는 무척 지내기 편한 곳이리라.

하지만 그러면 내가 곤란하다.

"……딱히 평생 밖에서 살 필요는 없어요. 그래도 바깥 세계도 보시지 않을래요? 저, 사실 최근까지 계속 저택에서만 살아서, 세상에 대해 잘 몰랐거든요."

클라라 씨가 쓴웃음을 지었다.

"그럴 것 같았어요."

"그, 그런가요? 뭐, 뭐어, 간단히 말해서, 언젠가 아람사스에 돌아오는 걸 전제로 여행을 해보지 않으실래요? 바깥 세계에서 새로운 경험도 할 수 있어요."

"매력적인 제안이지만, 저는—."

내 제안을 받아들여 주지 않는 클라라 씨에게 초조해진 3대가 시끄러웠다.

『좀 더 전력을 다해봐! 뭐야! 언제는 훨씬 달콤한 느낌으로 여자를 속여놓고선!』

말이 너무 심한데.

거기서 나는 한 가지가 떠올랐다.

"그러고 보니, 아람사스에는 전 세계의 책이 모인다죠?"

클라라 씨는 바로 말이 많아졌다.

아무래도 정말로 책을 좋아하는 모양이다.

"네. 하지만 전부라고는 할 수 없겠죠. 그 토지에서 소중하게 보관하는 책도 있고, 아람사스처럼 도서관이 있어도 반출하지 않는 경우도 많아요. 읽어보고는 싶지만, 이것만큼은……."

나는 단순히 떠오른 말을 입에 담았다.

"현지에 가서 읽어보면 되지 않을까요?"

클라라 씨가 놀란 표정을 지었다.

"확실히 그러네요. 1년? 아니, 몇 년 동안 여러 곳을 돌아다니다가 돌아와서 제가 책을 만들면……. 라이엘 씨, 저를 데려가 주세요."

그리고 놀랄 만큼 간단히 납득해주었다.

데미언의 연구실.

그곳을 찾은 나는 포터의 설계도를 데미언에게 넘겨줬다.

"괜찮겠어? 이거, 스스로 장사에 나서면 훨씬 많이 벌 텐데."

포터만이 아니라, 시제품 설계도도 건네줬다.

이유는 단순히 자금 때문이다. 학원에 포터의 설계도를 팔기 위해서다.

"나는 앞으로 나아갈 거고, 개발만 하고 있을 수 없으니까 무리야. 기왕 만들었으니까, 널리 퍼뜨리는 것도 학원에서 착수해주는 게 나을 것 같아."

4대가 유감스러워했다.

『라이엘이 상인이 되었다면, 이걸 기회로 삼아 대상인이 되는 것도 가능했을지도 모르건만…….』

분통해 보였지만, 나는 모험가다.

틈틈이 포터로 장사를 해볼 생각도 없다.

데미언이 설계도를 릴리 씨에게 건넸다.

"알았어. 학원에는 내 쪽에서 전달하지. 팔려고 내놓으면 분명 고가에 팔릴 거야. 아, 시제품은 실물로 구입할 텐데 괜찮을까?"

"상관없어."

데미언은 포터의 설계도를 보며 턱에 손을 댔다.

"그나저나, 이거라면 대량 수송도 가능한가. 나도 한 대 만들어서 다음 구입에 이용해볼까."

연구에 필요한 소재를 이것저것 모으기도 하는지, 이럴 때의 이동 수단으로서 포터는 매력적으로 비친 것 같다.

이윽고 데미언이 나를 바라봤다.

"그래서, 언제 출발할 거지?"

"이것저것 수속이 필요하니까 한 달 뒤려나. 센트럴로 갔다가, 거기서 다음 목적지를 정하려고 해."

데미언이 어깨를 으쓱했다.

"이름을 기억한 인간이 나가게 되는 건 쓸쓸하네. 뭐, 또 만나면 좋겠어. 라이엘."

"그러게. 데미언."

무척 별난 사람과 지인이 되었다.

그래도 막상 떨어지게 되니, 나도 조금 쓸쓸한 기분이 들었다.

에필로그

사크라이 자매의 집은 이사 준비를 마치고 무척 깨끗해졌다.

미란다 씨와 샤논이 살기 위해 구입한 거지만, 여행에 나선 다면 필요 없다며 미란다 씨가 매각해버렸다.

원래 두 사람에게 주어진 재산이라 마음대로 해도 된다고 한다.

"대담하게 처리했네요. 미란다 씨."

내가 그렇게 말하자, 미란다 씨는 내게 미소를 지었다.

"라이엘을 따라갈 거라면 불필요하니까. 뭐, 앞으로 잘 부탁해."

호의를 보내주고 있는 건 솔직하게 기쁘기에 쑥스러웠다. 그나저나…….

"미란다, 짐은 여기 놓으면 될까?"

"미란다 씨. 이건 어쩌죠?"

아리아 씨와 소피아 씨가 미란다 씨네의 짐을 나르고 있었다.

지금까지의 삐걱대던 모습이 거짓말 같다.

두 사람에게 물어봤는데, 미란다 씨는 일부러 두 사람을 부추겨서 성장을 유도했다고 한다.

오해가 풀려서 지금은 예전처럼 사이좋게 대하고 있었다.

"잠깐만 기다려. 라이엘, 나는 준비가 있으니까."

두 사람에게 걸어가는 미란다 씨를 배웅한 나는 포터로 시선을 보냈다.

모니카가 아침부터 개조한다면서 포터 밑에 들어가서 뭔가 하고 있다.

"이 부품을 붙이면, 포터의 성능은 세 배로 늘어날 거예요! 뭐, 거짓말이지만요. 그래도 3할! 아니, 2할은 향상될 터?"

혼자 중얼중얼 시끄럽다.

클라라 씨도 모니카의 정비를 도와주고 있어서, 아침부터 북적거린다.

연결 마차를 쓰지 않는 여행이기 때문에 출발 시간을 신경 쓰지 않아도 된다는 건 고마웠다.

노웸이 내게 다가왔다.

"라이엘 님. 모험가 길드에서의 수속을 마치고 왔어요."

노웸은 나를 대신해서 길드에 수속을 하러 갔다.

"미안해. 내가 가면 왠지 종알종알 심술을 부리거든."

아람사스에서는 우수한 모험가가 차례차례 다른 대지를 향해 떠나간다.

그건 모험가 길드의 서비스에도 문제가 있기 때문인데, 과연 직원들이 그걸 인정하는 날이 오기는 할까?

노웸도 조금 쓸쓸한 표정이었다.

"모험가가 대량으로 줄어들었으니까요. 덤으로 저희까지 빠져나가게 돼서 곤란한 모양이에요."

루돌, 자르사, 베닐…… 악질적인 모험가들이 줄어들었지만,

덤으로 미궁에 들어가는 파티가 적어지고 말았다. 전체적으로 보면 큰 숫자는 아니겠지만, 우리처럼 많이 벌어들이는 모험가가 빠져나가면 만류하려 한다.

특히 내게는, 데미언이 눈여겨보고 있었는데 배신하는 거냐며 좋알좋알 심술을 부렸었다.

노웸이 대신 수속을 해주러 가서 다행이었다.

"센트럴에서 체류하는 시간은 얼마나 생각하고 계신가요?"

나는 즉답할 수 없었다.

"상황에 따라 다르겠지. 아직 자유도시 베임으로 가는 건 시기상조 같지만, 그 전에 다른 토지도 봐두고 싶어. 어딘가 좋은 곳이 있으면 좋을 텐데."

노웸이 미소 지었다.

"분명 찾을 수 있을 거예요. 그럼 저도 준비를 진행할게요."

노웸도 자기 짐을 꾸리기 위해 내게서 떨어졌다.

하품을 하며 기지개를 켠 나는 다음에 어떤 토지로 향할지 기대감에 가슴을 부풀렸다.

그런 내게 말을 걸어온 것은 샤논이었다. 손에는 과자를 들고 있다.

"뭐야, 또 불평하러 왔어?"

나는 놀려댔지만, 요즘 샤논의 낌새가 영 이상하다.

싸우기는 하지만, 때때로 나를 보며 슬픈 표정을 짓는다.

대체 무슨 생각을 하는 걸까?

"……이거, 줄게."

손에 든 것은 샤논이 좋아하는 과자였다. 나는 눈을 크게 떴다.

"내일은 해가 서쪽에서 뜨려나? 네가 과자를 나눠주다니······ 혹시 독이라도 들었어?"

농담 삼아 놀렸지만, 샤논의 반응은 좋지 않았다.

울 것 같은 표정으로 고개를 내젓더니 내게 말한다.

"네가 불쌍하니까 줄게. 그 대신, 언니를 잘 부탁해. 아마나는 막을 수 없을 테니까."

이 녀석은 대체 무슨 소리야? 미란다 씨는 생각보다 성격이 나쁘지 않다는 게 판명되었는데, 혼자만 비장감이 감돌고 있다.

나는 받은 과자를 입에 던져 넣었다.

"아, 이거 맛있네."

샤논은 나를 보며 슬픈 표정을 지었다.

"야, 그 표정 그만둬. 대체 뭐가 그리 슬픈 건데!"

"괜찮아. 너는 몰라도 돼. 그래도 나는 조금 동정할게. 정말로 기둥서방 자식한테 조금 동정해줄게."

"기둥서방이라고 하지 마! 너, 이거 혹시 신종 심술이냐!"

역시 나는— 여동생 같은 존재가 싫어!

—보옥 안.

샤논과 사이좋아 보이는 라이엘을 지켜보던 일동은 진지한 표정을 지었다.

평소였다면 농담 한마디라도 나올 상황이지만, 조용하다.

4대가 2대의 얼굴을 봤다.

각오를 다진 2대는, 살짝 심호흡을 하고는 라이엘의 얼굴을 바라봤다.

샤논과 마치 남매 같은 모습을 보이는 라이엘은 여섯 명이 보기에는 무척 듬직해졌다. 앞도 뒤도 모르던 처음 무렵과는 이미 다른 사람이다.

2대가 입을 열었다.

『슬슬 때가 됐다고 생각해.』

그 말에 3대가 수긍했다.

『그렇겠지. 지금의 라이엘이라면 익힐 수 없는 아츠는 없지 않을까? 분명 괜찮을 거야.』

라이엘은 2대의 아츠를 2단계까지 습득했다.

3단계라는 최종 단계를 가르칠 시기가 왔다는 것을 전원이 짐작하고 있었다.

2대가 부끄러운 듯이 머리를 긁적였다.

『좀 더 보고 싶다는 마음도 있지만, 내가 언제까지나 있으면 방해가 되겠지. 라이엘은 이제 괜찮아.』

역대 당주들의 기억이 되살아난 이유는, 라이엘에게 자신의 아츠를 가르치기 위해서다.

적어도, 전원은 그렇게 인식하고 있다.

그리고 역할을 마치면 초대와 마찬가지로 사라지게 된다.

2대는 원탁의 방에 조용히 떠 있는 은색의 대검을 바라봤다.

『으~음. 내 경우에는 역시 활이 나올까? 아니면 아버지만

이 특별했나? 신경은 쓰이는데 해답을 알 수 없다니 너무하지 않아?」

전원이 「확실히……」라며 살짝 웃었다. 2대는 라이엘을 다정하게 바라봤다.

『……아직 이것저것 못난 부분은 많지만, 나는 이쯤 해서 사라지기로 할까.』

2대는 라이엘에게 자신의 아츠를 허락하기로 결정했다.

그는 다른 역대 당주들이 있다면, 분명 라이엘을 이끌어줄 수 있으리라 믿었다.

4대가 쓸쓸하게 말했다.

『왠지 쓸쓸해지는군요.』

2대가 곤란한 듯 웃었다.

『반대로 기뻐했다면 슬펐겠지. 뭐, 이쯤 해서 가는 게 딱 좋을지도 몰라.』

3대도 수긍했다.

『그건 그렇지. 그러면, 순서로 따지면 다음에는 나일까? 7대가 사라질 무렵에는, 라이엘은 대체 어떻게 되어있을까?』

5대가 농담을 섞어서 분석했다.

『사랑이 무거운 여자를 끌어들인다면 6대와 똑같을 줄 알았는데, 미란다도 그렇게까지 무거운 여자는 아니었으니까. 잘해나갈 수 있을 것 같아.』

6대가 떨떠름한 표정을 지었다.

『나와 비교하지는 말아줬으면 하는데요. 뭐, 지금은 순조롭게 성장하고 있다고 봐도 되겠죠.』

　조부인 7대는 라이엘의 장래가 무척 신경 쓰이는 모양이었다.

『손주가 어엿하게 한 사람 몫을 하는 걸 볼 수 있다니. 기쁜 일입니다.』

　2대가 마무리했다.

『그렇지. 이렇게 자손을 볼 수 있을 줄은 몰랐어. 뭐, 우리는 그저 기억일 뿐, 본인은 이미 죽었지만.』

　2대는 조금 쓸쓸한 모습으로, 샤논과 장난을 치는 라이엘을 바라보고 있었다—.

　　　　　　　　　　　　〈『세븐스 6』으로 계속〉

안녕하세요. 불초 역자입니다.

이번 권으로 아람사스편이 끝났습니다. 이런저런 사건을 거치며 파티도 한층 성장했고, 라이엘도 더욱 성장하는 계기가 되었네요. 저번에 나왔던 장갑차도 포터라는 이름으로 새로 태어났고, 여러모로 전진하는 계기가 된 것 같습니다. 근데 판타지 세계에서 장갑차는 신선하긴 하네요. 고대인이란 대체……?

파티 내부에서는 미란다의 선언으로 불화가 일어나기는 했지만, 이야기의 재미로는 이게 더 낫기도 하네요. 사실 뒤편에서 히로인들이 서로 밀고 당기며 견제하는 것도 하렘물의 묘미라고 생각하는지라 좀 더 인간관계가 다채로워지는 것 같아서 좋게 생각합니다. 아리아와 소피아 바보 콤비가 한 세트인지라 아직까지는 노웸과 미란다의 신경전이 핵심이긴 합니다만, 앞으로 히로인이 더 추가되면 더욱 달라지겠죠. 기대해봅니다.

그리고 슬슬 2대와의 작별도 다가오고 있는 것 같네요. 역대 당주들과의 캐미는 이 소설에서 가장 큰 재미 요소 중 하나라고 생각하는지라 이렇게 한 명 한 명 줄어드는 게 아쉽긴 합니다. 어떤 이별이 될지, 2대의 3단계 아츠는 어떨지 궁금해지네요.

　그럼 후기는 이쯤 하고, 다음 권에서 뵙겠습니다.

세븐스 5

초판 1쇄 발행 2020년 1월 10일

지은이_ Yomu Mishima
일러스트_ Tomozo
옮긴이_ 이경인

발행인_ 신현호
편집국장_ 김은주
편집진행_ 최은진 · 김기준 · 김승신 · 원현선 · 권세라
편집디자인_ 양우연
국제업무_ 정아라 · 전은지
관리 · 영업_ 김민원 · 조은걸 · 조인희

펴낸곳_ (주)디앤씨미디어
등록_ 2002년 4월 25일 제20-260호
주소_ 서울시 구로구 디지털로 26길 111 JnK디지털타워 503호
전화_ 02-333-2513(대표)
팩시밀리_ 02-333-2514
이메일_ lnovelpiya@naver.com
ㄴ노벨 공식 카페_ http://cafe.naver.com/lnovel11

SEVENTH 5
ⓒ Yomu Mishima 2017
Originally published in Japan by Shufunotomo Infos Co., Ltd.
Translation rights arranged with Shufunotomo Infos Co., Ltd.
Through Shufunotomo Co., Ltd.

ISBN 979-11-278-5388-4 04830
ISBN 979-11-278-4190-4 (세트)

값 7,800원

라스트 라운드 아서스 1권

히츠지 타로 지음 | 하이무라 키요타카 일러스트 | 최승원 옮김

모든 면에서 타고난 능력이 지나치게 뛰어났던 탓에
공허한 나날을 보내고 있던 마가미 린타로.
무료함을 달래기 위해 일부러 『최약』이라 불리는
루나 아르투르의 진영에 가세해, 다가오는 위기에서 세계를 구할
진정한 아서 왕을 정하는 《아서 왕 계승전》에 참가하게 되지만…….
"내 엑스칼리버는…… 팔아서 돈으로 바꿨으니까."
루나는 성검을 팔아치우거나, 소환한 《기사》 케이 경을 코스프레시켜서
이용해먹기까지 하는 문제아였다!
그러나 절망적인 위기에 처했을 때
루나는 린타로조차 인정할 수밖에 없는 강함을 보여주는데—.

새로운 아서 왕 전설이 여기서 시작된다!

피학의 노엘 1~2권

원작 카나오 | 저자 모로쿠치 마사미 | 옮긴이 안수지

노엘 체르퀘티는 항상, 언제나 1등이어야만 한다.
명가의 딸로서 장래를 촉망 받으며 피아노 콩쿠르에 도전하지만,
친구 질리안에게 패하며 우승을 놓친 노엘.
실의에 빠진 노엘은 시장 버로우즈의 유혹에 넘어가
인생을 바꾸고 싶다며, 악마를 소환한다.
"대악마 카론. 소환의식에 따라 찾아왔다."
소원을 들어준 《대가》로 팔다리를 빼앗기며
노엘은 시장에게 속았다는 것을 깨닫는다.
"구해줘."
절망의 늪에서 죽어가는 노엘의 「제2의 소원」을 들어준 카론은,
노엘에게 버로우즈에 대한 복수를 제안하는데—.

대인기 호러게임 『피학의 노엘』 대망의 소설화!

Kotobuki Yasukiyo 2018
Illustration : JohnDee
KADOKAWA CORPORATION

아라포 현자의 이세계 생활 일기 1~6권

코토부키 야스키요 지음 | JohnDee 일러스트 | 김장준 옮김

정리해고 당한 후, 매일 밭을 돌보며 『제로스 멀린』으로서
게임에 빠져 살던 백수 아저씨, 오사코 사토시(40세).
오리지널 마법을 만들어 명실상부 톱 플레이어가 된 그는
최종 보스를 무난하게 공략하지만
로그인 중 발생한 어떤 사고로 생을 마감한다.
그는 홀로 죽었다고 생각했지만,
정신을 차리고 보니 거대한 산림 지대의 한가운데에 서 있었다.
이세계 여신의 말에 따르면 그는 게임 속 능력을 이어받아 전생했다고 한다.
대산림 지대에서 서바이벌을 거치고 전(前) 공작 노인과 만난 제로스는
현자로서 능력을 인정받아 마법을 쓰지 못하는 소녀의
가정교사 일을 의뢰받는데—?!
"나는 평온한 일상이 인생의 모토인데……."

마흔 살 현자의 이세계 생활 일기 개시!

Copyright ⓒ2017 Kumanano
Illustrations copyright ⓒ2017 029
SHUFU-TO-SEIKATSU SHA LTD.

곰 곰 곰 베어 1~8권

쿠마나노 지음 | 029 일러스트 | 김보라 옮김

게임이 현실보다 재밌습니까?—YES
현실 세계에 소중한 사람이 있습니까?—NO

……온라인 게임 설문 조사에 대답했을 뿐인데
말도 안 되는 이세계(아마도)로 내던져진 나, 유나.
은톨이 경력 3년의 폐인 게이머.
맨 처음 장착하게 된 장비템이 『곰 세트』라니…….
이게 무어야—!?
하지만 세고 편하니까 뭐, 괜찮으려나?
울프를 쓰러뜨리고, 고블린을 쓰러뜨리고
극강 곰 모험가로서 일단 해볼까요.

은둔형 외톨이 소녀, 이세계에서 무적의 곰 모험가가 된다!

라이트노벨의 새로운 빛! ㄴ노벨의 신간은 매월 10일에 발매됩니다. http://cafe.naver.com/lnovel11

©Aiatsushi 2018
Illustration : Katsurai Yoshiaki
KADOKAWA CORPORATION

백수, 마왕의 모습으로 이세계에 1~6권

아이아츠시 지음 | 카츠라이 요시아키 일러스트 | 김장준 옮김

한창 즐겼던 게임이 서비스 종료를 맞이한 날.
홀로 대보스를 토벌하고 사기급 능력을 입수한 요시키는
낯선 장소에서 눈을 떴다.
마왕으로 착각할 만할 중2병 장비를 걸친
자신의 캐릭터, 카이본의 모습으로!
심지어 갈피를 잡지 못하는 그의 앞에
요시키의 세컨드 캐릭터, 엘프 류에가 나타나고……?!
그녀와 둘이서 생활하는 동안 그는 알게 된다.
자신이 이 세계에서 신화 수준의 영웅으로 전해져 내려온다는 것을—!

**마왕의 모습으로 세계를 누비는
유유자적 여행기, 개막!!**

©Hiro Ainana, shri 2019／KADOKAWA CORPORATION

데스마치에서 시작되는 이세계 광상곡 1~16권, EX

아이나나 히로 지음 | shri 일러스트 | 박경용 옮김

한창 데스마치를 치르던 프로그래머 스즈키 이치로(29),
『사토』란 닉네임을 쓰는 그가 잠시 잠들었다 깨어나 보니
듣도 보도 못한 이세계에 방치되어 있었다!
혼란에 빠질 틈도 없이 눈앞에는 처음 보는 괴물의 대군이 다가오고,
하늘에서는 유성우가 쏟아진다.
정신을 차리고 보니, 최강 레벨의 힘과 막대한 부를 손에 넣었는데……?!
이렇게 사토의『유유자적, 가끔 시리어스, 그리고 하렘』인
이세계 모험담이 시작된다!!

**최강 레벨과 막대한 재보를 가지고
시작되는 유유자적 이세계 관광!!**

라이트노벨의 새로운 빛! L노벨의 신간은 매월 10일에 발매됩니다. http://cafe.naver.com/lnovel11